# A Linguagem
## Uma abordagem filosófica

Frédéric Nef

# A LINGUAGEM
## Uma abordagem filosófica

Tradução:
LUCY MAGALHÃES

**Jorge Zahar Editor**
Rio de Janeiro

Título original:
*Le langage, une approche philosophique*

Tradução autorizada da primeira edição francesa, publicada em 1993 por Éditions Bordas, de Paris, França, na coleção Philosophie Présente


Jorge Zahar Editor Ltda.
rua México 31 sobreloja
20031-144 Rio de Janeiro, RJ
Tel.: (021) 240-0226 / Fax: (021) 262-5123



Editoração eletrônica: TopTextos Edições Gráficas Ltda.
Impressão: Tavares e Tristão Ltda.

ISBN: 2-04-018102-4
ISBN: 85-7110-314-3 (JZE, RJ)

CIP-Brasil. Catalogação-na-fonte
Sindicato Nacional dos Editores de Livros, RJ.

Nef, Fréderic
N288L A linguagem: uma abordagem filosófica / Frédéric Nef; tradução Lucy Magalhães. — Rio de Janeiro: Jorge Zahar Ed., 1995.
172p.

Tradução de: Le langage: une approche philosophique
Inclui bibliografia e índice
ISBN 85-7110-314-3

1. Linguagem — Filosofia. 2. Semântica (Filosofia). I. Título.

CDD — 401
95-0216 CDU — 800.1

# SUMÁRIO

# HISTÓRIA DA LINGÜÍSTICA E FILOSOFIA DA LINGUAGEM

Este livro tem como objetivo mostrar a continuidade das interrogações filosóficas sobre o sentido e a significação, por meio de uma discussão das principais doutrinas semânticas. Vamos precisar logo de início que nosso ponto de vista não é o de uma história da lingüística.[1] Esta se propõe a mostrar a maturação dos conceitos descritivos e normativos que organizam as ciências da linguagem — fonologia, sintaxe, semântica, pragmática.[2] Para a lingüística, ciências severas como a fonologia ocupam um lugar central, ao passo que só dizem respeito indiretamente à filosofia da linguagem. De fato, não se deve confundir filosofia da linguagem e filosofia da lingüística.[3] As diferentes concepções que se seguem não serão consideradas como antecipações de teorias lingüísticas, mas como etapas na reflexão conceitual sobre a linguagem como objeto formal, e, mais precisamente, etapas na constituição de uma teoria da significação. Nosso fio condutor consistirá em detectar a elaboração de uma doutrina coerente do significado proposicional, e depois a sua problema-

---

1 Uma história das teorias lingüísticas está sendo publicada sob a direção de S. Auroux, *Histoire des théories linguistiques*, Mardaga, 2 vols. publicados.

2 Para uma apresentação recente das ciências da linguagem, cf. J.-C.Milner, *Introduction à une science du langage*, Seuil, 1989.

3 Uma posição extrema consistiria em afirmar que a filosofia da linguagem é o equivalente de uma filosofia da natureza, e logo que convém passar sem hesitação para uma filosofia empírica da lingüística, fundada sobre a história e a filosofia das ciências. Entretanto, a situação não é a mesma. O que se chama filosofia da natureza (Hegel, Schelling) se desenvolveu depois da ruptura de Galileu em reação contra a ciência moderna.

tização e seu questionamento na época contemporânea. O que é significado pelo conteúdo semântico das frases: verdade, estado de coisas, incorporal? Essa é uma questão à qual todas as filosofias da linguagem tentaram responder.

O ponto de vista filosófico difere do ponto de vista lingüístico por sua dimensão crítica. Sem dúvida, a lingüística se interessa pela significação. Ela só a exclui nas versões radicalmente comportamentalistas. Mas só a filosofia se interroga sobre as condições de possibilidade da significação. É assim que se pode distinguir uma semântica lingüística voltada para a descrição da manifestação da significação nas estruturas léxicas, gramaticais e textuais, de uma semântica filosófica que reflete sobre os laços entre o pensamento, a verdade e a significação, e por isso se empenha em um procedimento crítico que lhe é próprio.

Se as especulações fonológicas ou puramente gramaticais se situam fora da reflexão estritamente filosófica sobre a linguagem, quando podemos estar certos de estar na presença de uma reflexão de caráter filosófico, e não apenas lingüístico, sobre a linguagem? Existe uma caracterização negativa do que é filosófico em matéria de linguagem: tudo o que é puramente classificatório (a hipótese indo-européia) ou se refere ao aspecto material (como a fonologia de Troubetskoy) e psicossocial (as hipóteses relativistas de Sapir e Whorf) não pertence, de direito, à filosofia da linguagem. Tudo isso pode interessar indiretamente à filosofia, se se indaga sobre as condições de possibilidade de uma ciência lingüística, pelo viés de uma "história e de uma epistemologia das ciências da linguagem" (S. Auroux). Mas existe também, e este é nosso propósito, uma caracterização positiva. Estamos diante de uma reflexão de tipo filosófico quando existe uma combinação de pelo menos dois dos traços seguintes:

— Superação do conceito empírico de língua por um conceito geral da linguagem, passagem da diversidade das línguas para a unidade da linguagem. O lingüista descobre universais da linguagem ao fim de uma análise formal e de uma descrição comparativa; o filósofo propõe universais formais.

— Existência de uma problemática da origem da linguagem, enquanto a lingüística exclui explicitamente essa questão do seu campo.

— Estabelecimento de uma relação entre a linguagem e as

operações do espírito, mais precisamente entre linguagem e pensamento, ao passo que essa relação é afastada da lingüística (e, para esta, liga-se ao psicologismo).

— Problematização da representação da realidade pela linguagem (enquanto a lingüística estrutural elimina a realidade do seu campo).

— Avaliação da linguagem como instrumento de ações cognitivas (raciocínio, expressão das emoções etc.), podendo ir até uma crítica da linguagem natural.

Pode-se perguntar se essa caracterização é suficientemente estrita: não poderia haver, por exemplo, presença dos três primeiros traços no interior de uma reflexão de tipo religioso (por exemplo, comentários sobre a Gênese etc.), e não poderia haver uma reflexão apenas técnica, que apresentasse os dois últimos traços (por exemplo, semântica formal)? A essa objeção, podemos responder: é a conceitualização que, sempre, marca o caráter filosófico, e enfim, não se deve ter uma concepção demasiado estreita da filosofia da linguagem. Ela pode coexistir com uma intenção religiosa (compreender o texto da revelação) ou técnica (melhorar a comunicação), mesmo que essas intenções lhe sejam, de direito, perfeitamente estranhas.

Há, portanto, um ritmo histórico próprio dessa reflexão, que tem sua respiração específica, não se confundindo necessariamente com o da história das ciências e o da história da filosofia. Na história da filosofia, muitas vezes os cortes são situados em relação à emergência e à realização da razão (Descartes, Kant, Hegel). Na filosofia da linguagem, o verdadeiro corte se situa certamente no século XIV, com o aparecimento do nominalismo radical. A periodização da história da semântica é, pois, escandida pela emergência do nominalismo, e mais tarde pelo aparecimento da lingüística e da lógica formais, no fim do século XIX, com Frege. Assim, ela deve ser dividida em três períodos:

— Semântica Antiga: antiga e medieval, vinte séculos, dos pré-socráticos a Occam, quando aparece a problemática realista da significação, fundada sobre uma lógica da predicação, e marcada por uma mistura de combinação e de conflito entre a visão aristotélica e a platônica.

— Semântica Moderna: moderna, quatro séculos, de Occam a Frege, recobrindo o Renascimento, a Idade Clássica, as Luzes, até o século XIX, quando aparecem diversas concepções do signo fundadas simultaneamente sobre uma observação da linguagem e do espírito.

— Semântica Nova: contemporânea, um século, de Frege até hoje, na qual a problemática da significação se separa da lógica da predicação e as teorias do signo se desprendem do seu suporte lingüístico.

O que aparece então de modo muito surpreendente como uma verdadeira Idade Média (no sentido estrito e quase pejorativo) para a semântica é o período moderno, isto é, o que vai do século XV ao fim do século XIX! Isso explica por que, neste livro, tenhamos insistido principalmente nas concepções antigas e medievais, o que, à primeira vista, poderia dar uma impressão de desequilíbrio. Na verdade, a grande maioria dos problemas discutidos na filosofia da linguagem contemporânea consistem muito mais de reformulações de problemas antigos e principalmente medievais, do que problemas discutidos por modernos, como Condillac, por exemplo. No domínio semântico, a Idade Média, mesmo conservando-se no prolongamento fiel das problemáticas da Antigüidade, nos introduz diretamente nas preocupações mais contemporâneas.

# SEMÂNTICA ANTIGA E MEDIEVAL

A Antigüidade e a Idade Média formam, do ponto de vista de que nos ocupamos, um período relativamente homogêneo.[1] São comentados os mesmos textos de Aristóteles, e as mesmas disciplinas (dialética, retórica, lógica) formam o alicerce da vida intelectual. Alguns autores como Santo Agostinho ou Boécio pertencem aos dois mundos, o antigo e o medieval. A diferença, considerável no que se refere à linguagem, é que a Idade Média vive e pensa no interior da revelação cristã. Será preciso, portanto, indicar sumariamente as fontes bíblicas de certas especulações medievais.

## A ANTIGÜIDADE

### 1. Os sofistas

No interior do pensamento pré-socrático, a linguagem se torna um objeto de interesse explícito[2] para os sofistas. Nós os conhecemos através do seu adversário Platão, o que não favorece a compreensão de suas doutrinas. O movimento sofista abarcou assuntos bastante diferentes, de uma atitude geral diante da educação e da retórica até teses metafísicas ultra-relativistas, e especulações de filosofia política sobre a natureza do poder. Além disso, suas teses só foram conservadas sob forma de fragmentos. Enfim, uma moda absurda quis reabilitar e vingar os sofistas, embaralhando ainda mais uma questão já complexa. Assim, é impossível discernir uma sofística da linguagem. Entretanto, pelo menos um texto conservado, de Górgias, manifesta explicitamente uma interrogação sobre a capacidade da linguagem, ou do discurso,[3] de dizer o ser:

> Pois se existem seres visíveis, audíveis e universalmente sensíveis, e de uma existência que nos é exterior, desses seres, os visíveis são percebidos pela vista, os audíveis pelo ouvido, e esses sentidos não podem trocar os seus papéis. Assim sendo, como se poderá revelar a outrem esses seres? Pois o meio que temos de revelar é o discurso; e o discurso não é nem as substâncias nem os seres: não são pois os seres que nós revelamos àqueles que nos cercam; nós só lhes revelamos um discurso que é diferente das substâncias. Assim como o visível não pode tornar-se audível, ou o contrário, assim também o ser que subsiste exteriormente a nós não poderia tornar-se nosso discurso: não sendo discurso, ele não poderia ser manifestado a outrem. Quanto ao discurso (...), sua constituição resulta das impressões vindas dos objetos exteriores, isto é, dos objetos da sensação: do encontro com o seu sabor nasce em nós o discurso que será proferido com relação a essa qualidade, e da impressão da cor, o discurso referente à cor. Se é assim, o discurso não manifesta o objeto exterior; pelo contrário, é o objeto exterior que se manifesta no discurso.[4]

Podemos resumir assim a argumentação de Górgias: a) nada existe; b) se alguma coisa existisse, não se poderia conhecê-la; c) se se pudesse conhecê-la, não se poderia comunicá-la.[5] É esse último ponto que nos interessa aqui. A argumentação pela incomunicabilidade do ser — supondo-se que ele exista, já que para Górgias nem o ser nem o não-ser são[6] — é a seguinte: o discurso não é a substância; assim, o discurso só pode revelar a si mesmo. A razão é que a incomunicabilidade do ser no discurso é semelhante à separação dos diferentes registros sensoriais: o ser é tão incomunicável quanto o visível é diferente do audível.[7] A constituição do discurso resulta das impressões sensíveis; a cada impressão proveniente de um sentido corresponde um tipo de discurso relativo a essa impressão. O discurso é pois incapaz de apreender uma estrutura geral comum a esses diferentes campos sensoriais; ele é não só dependente das impressões, mas também dependente das separações entre os gêneros de impressões. Ele é passivo: "é o objeto que se revela no discurso". Um último argumento consiste em que, mesmo se o discurso fosse um ser substancial, seu modo de ser seria radicalmente diferente das substâncias dos corpos sensíveis. N. Kretzmann observa que esse argumento lembra a conduta dos liliputianos nas viagens de Gulliver: eles não transportam as coisas, em lugar das palavras?[8] O argumento sofista da incomunicabilidade do ser, e logo da incognoscibilidade da realidade, repousa sobre uma doutrina da incomunicabilidade dos gêneros. Veremos que a comunicabilidade dos gêneros é, ao contrário, uma tese mestra de Platão. Por isso, poderíamos concluir, com P. Aubenque: "A teoria e a prática sofistas da linguagem não supõem apenas uma ontologia errônea: elas acarretam a impossibilidade de toda ontologia"?[9] Afinal, existem ontologias relativistas e céticas, e talvez até ontologias niilistas. O que a sofística impede é uma ontologia científica, uma ciência geral do universal, mas esse é um tipo de ontologia e não um traço necessário e essencial de toda ontologia.

## 2. Demócrito

Górgias questionou a relação entre a linguagem e a realidade, e assim abriu um espaço de interrogação, que muito mais tarde será chamado de semântica. Com Demócrito é tematizada a oposição entre naturalismo (a significação na linguagem é natural) e convencionalismo (a significação na linguagem é convencional). Essa oposição se tornou clássica no *Crátilo* de Platão, em que Hermógenes defende a tese convencionalista, e Crátilo a do naturalismo. Proclo[10] declara: "Pitágoras e Epicuro compartilham a tese de Crátilo, Demócrito e Aristóteles a de Hermógenes." Para Pitágoras, os nomes existem por natureza, porque, segundo ele, é a alma, derivando do Intelecto, que impõe os nomes às diversas realidades. A alma daria os nomes segundo as representações que ela tem das coisas. Pitágoras é, provavelmente, influenciado nesse ponto pelo paralelo das cifras e dos números ideais.[11] Demócrito, defendendo a tese convencionalista, é levado a discernir várias relações e fenômenos semânticos importantes: a homonímia, a polinímia, a mudança de nomes (ou metonímia, segundo Demócrito), a falta de derivado (ou anonímia, sempre segundo Demócrito). Todos esses fenômenos põem em xeque, evidentemente, a correspondência biunívoca entre coisas e nomes que o naturalismo defende, mas mais importante talvez seja o fato de que se trata de um dos mais antigos atestados de uma teoria das relações semânticas. Se Górgias defendia uma tese sobre a verdade — a impossibilidade de um discurso verdadeiro — Demócrito defende uma tese sobre a referência: a variedade das relações semânticas não deixa pensar a linguagem como um duplo do real.

## 3. Platão

Com Platão, deixamos o campo das reconstituições mais ou menos casuais de doutrinas a partir de fragmentos ou de testemunhos delicados de interpretar. Estamos diante de uma obra integralmente conservada, comentada[12] por uma escola durante nove séculos.[13]

Fala-se correntemente de "platonismo matemático";[14] pode-se falar de um platonismo lingüístico? Certamente não no mesmo sentido. Pode-se, dificilmente, pelo menos à primeira vista, atribuir, por exemplo, um *status* ideal à sílaba. Mas, como as realidades sensíveis são compostas de cópias de objetos ideais, também poderíamos pensar que a linguagem, em uma ótica platônica, é um misto sensível composto de objetos ideais, como o nome ideal, o verbo ideal etc.[15] O platonismo lingüístico decorreria de uma tese, que é exposta ao longo do *Crátilo*: a exatidão da denominação, a correção da relação entre as palavras e as coisas.[16] Sabemos que o *Teeteto* e o *Sofista* exprimem um questionamento radical da separação das Idéias. É pois capital ver que as idéias semânticas de Platão foram expostas em um momento de perplexidade inédita, cuja intensidade não será reencontrada antes do segundo Wittgenstein.

Para compreender a doutrina platônica da linguagem, é preciso interpretar o sentido da palavra logos.[17] O sentido primeiro de logos é "reunião, coleção" e não "termo, palavra".[18] É isso que explica a riqueza da palavra logos, que pode designar uma relação matemática, um argumento, ao mesmo tempo que o discurso ou a linguagem.

O *Crátilo* estabelece implicitamente um programa de filosofia racional da linguagem. Não é fácil extrair esse programa, pois Platão se diverte desnorteando o leitor em uma controvérsia sobre a origem dos nomes, e é durante essa disputa que se pode distinguir o primeiro esboço de semântica platônica. Esta repousa no conceito de nome ideal:

> é que um nome é um instrumento de ensino e, em relação à realidade, um instrumento de desembaralhamento, como o é, em relação ao tecido, a lançadeira.[19]

Temos aqui a analogia:

$$\frac{\text{artesão da tecelagem}}{\text{lançadeira}} = \frac{\text{artesão do ensino}}{\text{nome}^{20}}$$

Assim como o tecelão, além das lançadeiras particulares, tem o olhar fixo na lançadeira ideal, também o artesão do ensino, o legislador primitivo da linguagem, tem o olhar fixo no nome ideal:

> Em suma, meu caro, será que esse legislador de quem eu falo não deve saber estabelecer o nome, aquele nome que, por natureza, é feito para cada caso, levando em consideração os sons e as sílabas? Não é com o olhar dirigido para a essência ideal do nome em si, que ele deve fabricar, instituir todos os nomes, se ele próprio é destinado a tornar-se um mestre na instituição dos nomes? (*id.*)

Platão estabelece uma analogia e propõe um tipo ideal. A analogia compara modelo em um trabalho artesanal e modelo para um nome, no ato de nomear uma coisa. O tipo ideal é o do legislador, que, na origem, fixaria os nomes. Assim como o artesão que quer produzir um objeto deve, por um lado, ter seu modelo em mente, e por outro lado, escolher as ferramentas adequadas, também o legislador deve, por um lado, contemplar o nome ideal, e por outro, escolher o nome mais conveniente, em relação a esse nome ideal. O conceito de nome ideal (aquele que o legislador contempla) é solidário da teoria das formas.[21] Platão distingue dois tipos de formas da palavra: uma forma geral (como a lançadeira em geral) e uma forma específica (uma lançadeira adequada para um tipo particular de tecido).[22] Essa distinção permite conciliar a variabilidade das denominações segundo cada língua e o caráter ideal da significação:

> Não devemos nos surpreender se cada legislador[23] das palavras não utiliza as mesmas sílabas, como todos os ferreiros não usam o mesmo ferro, mesmo quando fazem o mesmo instrumento para o mesmo fim. Desde que eles produzam a mesma forma (*idea*), o instrumento é igualmente

bom, seja aqui ou entre os bárbaros. [Platão aqui é universalista.] Devemos então esperar ver a mesma coisa, no legislador das palavras, tanto aqui quanto entre os bárbaros: desde que ele produza a forma (*eidos*) do nome que pertence a cada coisa, quaisquer que sejam as sílabas, ele é igualmente bom como criador de palavras, seja aqui ou em qualquer lugar. (389 d-390 a).

Essa semântica da palavra ideal é fundada simultaneamente com base na teoria das formas e numa concepção referencial dos nomes. A teoria das formas é uma ontologia — as formas são entidades eternas e imutáveis — e uma epistemologia — o conhecimento certo se refere às formas. No campo matemático, uma dialética ascendente permite atravessar as cópias dos seres matemáticos, para se elevar até a contemplação dos números ideais, a Mônada ou a Díada. No campo de que nos ocupam essa dialética ascendente não é praticável de modo tão regulado, e é uma das significações da recusa de Sócrates de tomar claramente partido entre os naturalistas e os convencionalistas. Entretanto, essa recusa de tomar partido não deve resultar no relativismo cético, que Platão atribui ao sofista Protágoras — que o homem seja a medida de todas as coisas, e que a denominação seja o fruto de um capricho puramente humano. Para fundar o conhecimento (o que é o objetivo último do *Crátilo*, como de todos os diálogos), é preciso pois retornar ao princípio parmenidiano de uma correspondência entre o pensamento (expresso nos nomes combinados no discurso)[24] e o ser, o que é, os estados de coisas (*pragmata*).

Platão menciona "a forma do nome (*onomatos eidos*) que pertence a cada coisa". Essa forma, ou essa Idéia, é o que permite superar as diferenças de denominação de língua para língua. Como afirma C. Khan, "A Forma da Palavra que pertence a cada coisa será pois, sempre, definida em relação à Forma da Coisa em questão."[25] A relação do nome com os *pragmata* é descrita no *Crátilo* por analogia com a pintura.[26]

O discurso (*logos*) aparece como o produto de uma síntese do nome (*onomata*) e do verbo (*rhema*), assim como o pintor combina elementos no seu quadro. A natureza dessa forma do nome, ou do "nome correto que serve de modelo" (*model correct name*, Kretzmann) continua sendo largamente problemática. O que é menos problemático é a função do nome, que é designar, distinguir as coisas. Até se disse que o *Crátilo* apresentava explicitamente a questão do laço entre o significante (o nome ideal) e o significado (a idéia da coisa).[27] Esse diálogo anunciaria assim os desenvolvimentos estóicos sobre a diferença entre o que é denotado pelo signo (*semainomenon*) e o próprio signo (*semainon*).[28] "O *Crátilo* contém os prolegômenos à procura da essência da linguagem que será conduzida no *Sofista*."[29]

O *Sofista* e o *Parmênides* expõem uma semântica da proposição a partir de uma interrogação sobre os enunciados negativos, da forma "o Uno não existe". Platão precisa o que se pode entender por um verdadeiro nome e um enunciado significativo. A finalidade é refutar Parmênides, que afirmava que os enunciados errôneos, isto é, os que contêm o que não é, não expressavam nada: "pois não conhecerás o que não é (porque não é possível) e também não o mencionarás (*phrasais*)[30]" (Fragmento 2, 7).[31]

O *Sofista*, que trata da possibilidade do falso no discurso, distingue dois níveis,[32] o do nomear (*onomazein*) e o do dizer (*legein*). Em termos modernos, o nível do nomear é o de uma sintaxe em que se combinam nomes (*onomata*) e verbos (*rhemata*), e o nível do dizer é o de uma semântica, que formula sob que condições um enunciado (*logos*) é significativo e verdadeiro.

Se um *logos* é formado de um *rhema* e de um *onoma*, deve-se precisar o sentido desses três termos: na verdade, não se deve projetar a estrutura sujeito-predicado sobre o texto de Platão. Um *onoma* é um nome significativo, comum ou próprio.[33] A sua definição é dada no *Crátilo*: "a apelação que se atribui[34] a cada objeto" (385a). O nome é a menor parte do discurso (*id.*, 385c). Platão desenvolve na *Carta VII* uma classificação que relaciona o nome com a definição. Enumera os fatores necessários ao conhecimento: o nome, a definição, a representação, o conhecimento e enfim o objeto do conhecimento, "o que existe verdadeiramente" (342b, ed. Brisson, 1986, p.194). O exemplo escolhido é o do círculo. O nome é "círculo", a definição, formada de nomes e de verbos, é "aquilo cujas extremidades se encontram em todos os pontos a igual distância do centro", depois as representações sensíveis do círculo, em seguida o conhecimento do círculo, e enfim o círculo em si (*op.cit.*, p.195). Esses diferentes fatores do conhecimento "têm como tarefa manifestar, no caso de cada coisa, tanto que ela é tal ou qual (*to poion ti*), quanto o que ela é (*to on*) servindo-se desse instrumento deficiente que é a linguagem" (342e-343a, p.195).

O sentido de *rhema* é mais vago: esse termo designa tudo o que pode ser dito ao sujeito sobre alguma coisa (seu sentido se aproxima então do de "predicado") e também, de maneira mais específica, o verbo, como categoria gramatical, que designa ações (*praxeis*).

Pode-se detectar no *Sofista* (261c-264b) três progressos importantes no que se refere à filosofia da linguagem: a análise da proposição (*logos*), o esboço de uma teoria da referência e uma doutrina das relações entre pensamento e linguagem.

Como no *Crátilo*, a pesquisa (*episkepsis*, 261d) sobre os nomes tem um alcance epistemológico: nos dois casos "trata-se [o exame dos nomes] de um ponto de vista, efetivamente, em que se deixa entrever a solução que procuramos" (*ibid.*), no *Sofista* o caso dos enunciados falsos, referentes ao não-ser. Assim, não se trata, absolutamente, de análise lingüística. A questão pré-jurídica a respeito dos nomes é saber "se todos concordam (*sunharmonei*)[35] ou nenhum, ou se uns se prestam à concordância e outros não" (*ibid.*).

A interpretação dessa "concordância" é delicada.[36] Certamente, trata-se de uma concordância de tipo gramatical, de regência ou de governo,[37] mas essa concordância é o signo de uma harmonia fundamental entre nome(s) e verbo(s), no seio do logos, porque o logos é harmonia ou concordância. É a imagem do entrelaçamento que exprime melhor essa concordância: "o entrelaçamento (*sumplokè*)[38] primordial se tornou um discurso" (trad. Robin, p.328, 262c). Platão opõe *lista*[39] — seja de verbos, "anda, corre, dorme" (262b), seja de nomes, "leão, cervo, cavalo" (ibid.) — fundada na justaposição, e *enunciado* — como em "o homem aprende" (*anthropos manthanei*, 262d) — fundado na concordância.

Será necessário aprender a distinguir essa doutrina semântica da decomposição da proposição em nome e verbo, em *onoma* e *rhema*, da doutrina aristotélica da decomposição da proposição em sujeito, cópula e predicado. Como observou com exatidão L. Robin,[40] "a lingüística moderna dá razão a Platão" (contra Aristóteles) nesse ponto: a teoria da predicação desempenhou um papel de obstáculo na análise lingüística do enunciado, e a lingüística formal, tanto transformacional quanto categorial, admitiu uma oposição verbo/nome no enunciado.[41]

A oposição entre as duas doutrinas foi evidenciada por P. Geach:[42]

> A passagem à teoria dos dois termos [sujeito e predicado] por Aristóteles foi um desastre comparável apenas à Queda de Adão. Ele perdeu a intuição platônica de que toda proposição predicativa se decompõe em duas partes heterogêneas; ao contrário, ele trata a predicação como um apego (*horos*) de um termo a um outro termo. (*op.cit*. p.47)

A heterogeneidade provém da assimetria das duas partes da proposição em relação à negação: pode-se negar um verbo, mas não um nome. O que seria um não-bode? A negação de "Os cães latem" é "Os cães não latem", e não "Os não-cães latem";[43] a negação de "Pedro dorme" é "Pedro não dorme" e não "Não-Pedro dorme".[44] "Temos, para exprimir o ser (*ousia*), algo como dois gêneros de signos (...) Eles são chamados nomes ou verbos." (261e-262a) O verbo "exprime as ações" (*praxeis*) e o nome se aplica aos "sujeitos que fazem essas ações" (262a).

O discurso (*logos*) é constituído, como dissemos, pela concordância ou pela ligação e, logo que ela é efetuada, estamos diante de um "discurso breve" (*euthus*),[45] completo, acabado e direto. A expressão "discurso breve" significa na verdade "proposição atômica", isto é, sem disjunção ou conjunção. Um discurso completo dá a conhecer o que é, foi ou será: para Platão, a indicação temporal é atribuição da proposição atômica, não apenas do verbo. Deve-se pois distinguir um nível de denominação (*onomazein*) e um nível de discurso propriamente dito (*legein*): "Assim, dizemos que ele discorre (*legein*) e não apenas que ele nomeia (*onomazein*)." (262 d4)

Ao lado dessa doutrina do discurso breve ou completo, o *Sofista* estabelece uma semântica do discurso verdadeiro. Em termos modernos, diríamos que ele começa por estabelecer em que condições um enunciado é gramatical, e depois que ele procura as condições nas quais um enunciado gramatical é verdadeiro. O discurso nunca é sobre nada e deve possuir uma qualidade (*poion*). Essa qualidade é ser verdadeiro ou falso. Um discurso verdadeiro[46] diz "o que é tal como é"[47] (263b); um discurso falso "diz outra coisa diferente do que é". De fato "há, em torno de cada realidade (*onta*), muitos seres e muitos não-seres" (*ibid*.).

O *Sofista* desenvolve enfim uma definição do logos concebido como um discurso da alma. Temos, portanto, três etapas:

a) o logos completo, breve e acabado é um entrelaçamento de nome e de verbo;

b) o logos verdadeiro se refere ao ente tal como ele é;

c) o logos exteriorizado é discurso vocal; interiorizado, é pensamento.

Existem pois, a partir da reflexão sobre a linguagem, duas definições paralelas do pensamento, no *Sofista* e no *Teeteto*:

Logo, pensamento e discurso são a mesma coisa, exceto que é o diálogo interior e silencioso da alma consigo mesma que chamamos com o nome de pensamento (*dianoia*). (263e)

O que chamas assim? [de pensamento]

— Uma conversação que a alma mantém consigo mesma, a respeito do que é eventualmente o objeto do seu exame (...) essa imagem que eu faço da alma que está pensando não é nada mais que a de uma conversa, na qual ela faz perguntas a si mesma e dá respostas a si mesma, seja afirmando, seja negando. (...) Por conseguinte, chamo "julgar" de "falar"; chamo a opinião, o julgamento, de uma "enunciação de palavras", que, na verdade, não se dirige a outrem, que também não se faz por meio da voz, mas silenciosamente e falando consigo mesmo. (*Teeteto* 189e-190a)[48]

## 4. Aristóteles

Não existe tratado de Aristóteles sobre a linguagem como exis tem sobre a inferência, a zoologia ou a meteorologia. Não é na obra do Estagirita que se encontrará, mesmo em embrião, uma lingüística.[49] Aristóteles é o criador da lógica, o codificador da retórica, o crítico sistemático dos sofismas. É nos textos lógicos retóricos, sobre a argumentação, que se descobrirão as suas opiniões sobre a linguagem, e isso de maneira relativamente dispersa, segundo pontos de vista muito diferentes, o que torna muito difícil definir a concepção aristotélica da linguagem. Deve-se evitar reconstruir a filosofia da linguagem implícita desse autor a partir de uma concepção moderna de análise lingüística e dos objetivos da filosofia da linguagem. Cada vez que Aristóteles trata da linguagem, tem em vista algo que não é a linguagem: fazer uma introdução à lógica, criticar os modos comuns de inferência, desarmar as armadilhas dos sofistas, estabelecer o inventário dos meios da linguagem para veicular a emoção. Mas isso deve ser matizado pelo fato de que, para certas classificações ontológicas, Aristóteles é evidentement dependente das estruturas léxicas da língua grega: por exemplo, a classificação em estados e atividades dos processos depende de uma certa apreensão dos verbos de estado e de atividade em grego, com a intervenção explícita ou implícita de certos critérios puramente gramaticais.[50] Mas isso não significa que a ontologia de Aristóteles seja uma semântica disfarçada.[51]

Um último ponto preliminar: os comentários de Aristóteles, principalmente das *Categorias* e de *Da interpretação*, serviram tanto de alicerce para a cultura medieval e as posteriores, que algumas vezes torna-se difícil encontrar o verdadeiro Aristóteles por trás das codificações e simplificações escolares que facilitaram a sua introdução no saber ocidental. Esses comentários, que são de dois tipos — da Antigüidade, principalmente dos neoplatônicos[52] e de Boécio, e da Idade Média, especialmente de Tomás de Aquino e de Alberto Magno —, nos propõem um modo de abordagem de Aristóteles que ao mesmo tempo facilita e atrapalha o acesso a seu texto, ao multiplicar os intermediários.

Pode-se, arbitrariamente, distinguir os seguintes eixos principais: a) a estrutura material do enunciado; b) a análise da estrutura lógica do enunciado; c) a relação do enunciado com a realidade; d) as relações entre linguagem e pensamento.

Na *Poética*, 20, 1456b-1457a, Aristóteles propõe a síntese ascendente seguinte, do elemento (*stoikheion*)[53] ao enunciado (*logos*):

elemento Ä sílaba Ä conjunção e articulação Ä nome e verbo Ä formas flexionadas do nome e do verbo Ä enunciado.

A conjunção e a articulação são "desprovidas de sentido": "sem influência nem positiva nem negativa sobre a formação de uma unidade significante da palavra, resultante da combinação de vários constituintes" (1457a).[54]

Essa distinção dos elementos providos de sentido (como os nomes e os verbos) e os desprovidos dele é importante, pois efetivamente ela separa as unidades do discurso que têm uma potência referencial daqueles que não a têm — pois qual é a diferença entre "Cleon" e "por outro lado" (exemplos de Aristóteles nesse texto), senão que "Cleon" se refere a um indivíduo e "por outro lado" não se refere? "Por outro lado" tem um sentido, senão como explicar que essas palavras contribuam para o sentido de um enunciado? Pode-se até afirmar que "Cleon" não tem sentido, enquanto "por outro lado" tem sentido. Aristóteles seria vítima de uma confusão entre o sentido e a referência.[55]

A distinção entre nome e verbo dada aqui é puramente relativa ao tempo: o critério da assimetria da negação, tão importante no *De Interpretatione*[56], não é evocado, pois para Aristóteles trata-se de um critério lógico, ao passo que a *Poética* 1456b e seg. se situa em um ponto de vista gramatical. Aristóteles observa que "*homem* ou *branco* não significam o momento", enquanto "*ele andou* ou *ele anda* comportam a significação suplementar um do presente, outro do passado" (1457a). Aristóteles[57] quer insistir no fato de que as formas flexionadas do verbo significam o tempo, enquanto as formas flexionadas do nome significam o gênero ou a quantidade. Aristóteles classifica entre as formas flexionadas as modalidades enunciativas, por exemplo "questão ou ordem".

É possível aproximar das classificações contemporâneas de Aristóteles essas modalidades enunciativas.[58] Protágoras[59] admitia quatro modalidades desse tipo: interrogar, responder, ordenar e suplicar. Outras fontes, segundo Diógenes, atribuíam a Protágoras sete tipos: exposição, interrogação, resposta, preceito, enunciação, imprecação e apelação.[60] Sempre segundo Diógenes, Alcidamas as considerava quatro: afirmação, negação, interrogação e apelação.[61] Na *Retórica a Alexandre*, contemporânea de Aristóteles, sete tipos de discurso são mencionados: aconselhar, dissuadir, louvar, reprovar, acusar, defender, fazer pesquisas.[62] Aristóteles sublinha no *De Interpretatione* que "a súplica é um discurso, mas não é verdadeira nem falsa"[63] (17a5).[64] Para ele, a verdadeira distinção lógica separa os discursos suscetíveis de verdade e de falsidade, como as asserções, e aqueles que não o são, como as preces, mas também como as perguntas, as ordens.

A propósito do logos, Aristóteles admite que a *Ilíada* inteira poderia ser considerada como um logos:

> Um enunciado (*logos*) constitui uma unidade de dois modos, ou porque signifique uma só coisa, ou porque ele resulte da conjunção de várias partes: assim, a Ilíada é uma unidade por conjunção e a definição do homem é uma unidade, já que ela significa uma só coisa. (1457a)[65]

Assim, Aristóteles entende por logos tanto um texto quanto uma frase ou um enunciado, se esse texto forma uma unidade por conjunção — uma simples lista não seria provavelmente um logos, embora seja um tipo de texto, ilustrando um certo tipo de lógica textual.[66] Não há, portanto, limite superior ao que pode ser um logos, mas existe um limite inferior: a conjunção de um *onoma* e de um *rhema*.

A análise do enunciado do ponto de vista lógico e formal está contida nos capítulos 2, 3 e 4 do *De Interpretatione*.[67] As definições do nome, do verbo e do logos são as mesmas que na *Poética*, com as precisões seguintes. O nome é um "som que tem uma significação"[68], que tem uma "significação convencional (*kata suntekhen*)" (16a19). *Kata suntekhen* é traduzido em latim por Boécio: *ad placitum*. Nenhum som é por natureza (*phusei*) um nome: é ao tornar-se um símbolo que um som se torna um nome (16a28). Aristóteles precisa que a negação de um nome não é um nome: "*não-homem* não é um nome...; isso não é nem um discurso nem uma negação " (16a0). Ao contrário, se "*não está doente* não é um verbo" (16b12), é, apesar de tudo, um discurso e uma negação.[69] Vimos acima o alcance dessa assimetria entre verbo e nome diante de sua negação. Há simetria na medida em que Aristóteles chama de nome indefinido (*onoma aoriston*) uma expressão não-A, em que A é um nome e "verbo indefinido (*rhema aoriston*)", uma expressão não-B em que B é um verbo, mas essa simetria recobre uma assimetria profunda, na medida em que o nome indefinido não é um logos.

O verbo "acrescenta à sua própria significação[70] (*prosemainon*) a do tempo" (16b6). Aristóteles pensa o caso, ou a flexão (*ptosis*), de modo paralelo para o nome e o verbo. O caso do nome é a relação casual do tipo dativo, acusativo etc., e o caso do verbo é a sua flexão temporal, passada ou futura. O caso é definido de modo muito amplo. Em *Cat.* 1a12,[71] o caso do nome compreende as derivações lexicais do tipo "gramática Ä gramático"; em *Poet.* 1456a18, o caso do verbo compreende as modalidades de enunciação como a questão ou a ordem (ver acima quanto ao aspecto classificatório); em *De Int.* 16b17, o caso do verbo compreende a flexão temporal. Essa definição extremamente ampla permite pensar o nome e o verbo no mesmo nível, e, conseqüência última, permite pensar o verbo como uma espécie de nome: "Em si mesmo e por si mesmo, o que se chama verbo é, pois, na realidade, nome." (16a19) O "pois" remete ao que precede (o caso do verbo) e não ao que se segue (o papel de nomes e verbos para o pensamento): se os verbos são nomes, é porque eles têm a mesma estrutura casual. Essa comunidade de estrutura se torna manifesta pelo fato de que ambos veiculam uma significação determinada (e não indefinida), significação que provém da pausa e da fixação do pensamento sobre algo em particular (16b21).

Nome e verbo se distinguem, além do tempo, por seus papéis referenciais diferentes: o verbo "sempre indica algo afirmado a respeito de alguma outra coisa... o verbo é sempre signo daquilo que se diz de outra coisa, saber de coisas pertencentes a um sujeito[72] (*kath' upokeimenon*) ou contidas em um sujeito (*en upokeimenô*)" (16b8, e 16b10).[73]

É o capítulo V das *Categorias* que permite articular o nível semântico (a oposição nome-verbo para o tempo e a negação) e o nível ontológico (a classificação e a estrutura dos seres): o que é afirmado a respeito de um sujeito é o acidente, enquanto a substância é "o que não é nem afirmado sobre um sujeito, nem em um sujeito" (*Cat*. 2a11).

Nome e verbo são ligados no discurso: "Entre as expressões, umas se dizem segundo uma ligação (*sumplokè*) e as outras sem ligação: por exemplo, *o homem corre, o homem é vencedor*. As outras são sem ligação: por exemplo, *homem, boi, corre, é vencedor*." (*Cat*. 1a16) É significativo que esse trecho preceda imediatamente o texto sobre a classificação dos seres. O termo *sumplokè* é do *Sofista*. Esse termo é utilizado em *De An*. 432a11 para a ligação em um pensamento complexo, suscetível de ser verdadeiro ou falso: *sumplokè noematon*[74] e, em *Met*. E4, 1027b25, para a conexão no pensamento[75] de partes de um todo: "Mas como é que pensamos as coisas como unidas ou separadas? É uma outra pergunta. Quando digo unidas ou separadas, entendo que penso as coisas de tal modo que não há simples consecução de pensamentos, mas que esses pensamentos se tornam uma unidade."[76]

O termo de Aristóteles para proposição é *logos apophantikos* ou *apophansis*. Uma *apophansis* é a ação de mostrar, de exibir em plena luz. Esse termo pode, por exemplo, designar o inventário de uma fortuna. Um *logos apophantikos* é um discurso que mostra, que manifesta, que inventaria. A tradução *propositio* adotou provavelmente o termo de Cícero, que distingue *ex-positio, dis-positio, com-positio*[77]. "*Pro-ponere*" é "propor". É interessante assinalar que as primeiras traduções medievais do *De Int.* traduzem *apophansis* por *oratio* e não por *propositio*.[78] Boécio hesita entre *enunciatio* e *propositio*.[79] Essa digressão terminológica tem por fim mostrar a que ponto a tradução do grego para o latim dos termos semânticos é problemática, e a que ponto essa tradução desempenha um papel capital em nosso equipamento intelectual. Além disso, essa tradução pode ser um obstáculo ou um filtro para a nossa compreensão de Aristóteles e dos gregos em geral. Nosso vocabulário lógico, gramatical, retórico, é latino e é tão difícil pensar grego em latim no campo da linguagem quanto no campo da metafísica: existe a mesma distância entre *apophansis* e *propositio* que entre *ousia* e *substantia*. Se procurarmos precisar o sentido dessas expressões aristotélicas em um contexto moderno, deveremos comparar essa distinção com as distinções estabelecidas atualmente entre frase, proposição e enunciado. Como pensar a diferença *logos / logos apophantikos* relativamente à diferença entre enunciado e frase? Lembremos que O. Ducrot entende por enunciado a seqüência lingüística proferida em um certo contexto — por exemplo, "estou com fome", proferida por mim em certo momento — e por frase a mesma seqüência, fazendo-se abstração do contexto.[80] A tradução técnica boeciana *"oratio enunciativa"* interpreta o *logos apophantikos* como um enunciado. Sendo a sua definição "o discurso no qual reside o verdadeiro ou o falso" (17a3),[81] isso significaria que a verdade é definida relativamente a um contexto. Infelizmente, nada vem confirmar essa interpretação. Aristóteles estabelece uma separação nítida entre, de um lado, o *Organon*,[82] e do outro a *Poética* e a *Retórica* — só nestas últimas é que o contexto desempenha um papel, através da análise do auditório ou do público.

Assim, se é preciso distinguir cuidadosamente,[83] por um lado, enunciado e frase, e por outro a asserção de um enunciado e o seu conteúdo proposicional, não é certo que Aristóteles o faça sistematicamente, e, nesse caso, deve-se evitar suprimir uma certa imprecisão terminológica. Propomos traduzir aqui *logos apophantikos* por "asserção", conservando a ambigüidade entre enunciado asserido, frase assertiva,[84] ato de asserir e conteúdo da asserção.

O que é certo é que o *logos apophantikos* é o único elemento do discurso capaz de ser verdadeiro ou falso. O que faz a verdade ou a falsidade de uma asserção? Um texto das *Categorias* dá um elemento de resposta:

o homem real se reciproca segundo a consecução de existência com a asserção que é verdadeira a seu respeito. Efetivamente, se o homem existe, a asserção pela qual dizemos que o homem existe também é verdadeira; e reciprocamente, se a asserção pela qual nós dizemos que o homem existe é verdadeira, o homem também existe.

Entretanto, a asserção verdadeira não é, de modo algum, causa da existência da coisa (*pragmà*); pelo contrário, é a coisa que parece ser, de certa forma, a causa da verdade da asserção, pois é da existência da coisa ou da sua não-existência que depende a verdade ou a falsidade da asserção.[85]

Aristóteles defende a mesma idéia na *Metafísica*: "Quando há ou não aquilo que se chama verdadeiro ou falso? De fato, é preciso examinar o que entendemos com isso. Não é porque pensamos de modo verdadeiro que tu és branco, mas porque tu és branco, que, dizendo que tu és branco, dizemos a verdade."[86] Esse texto se inscreve em uma discussão sobre a separação e a união: "estar com a verdade é pensar que o que é separado é separado, e o que é unido é unido, e estar com o erro é pensar contrariamente à natureza dos objetos"(1051b2). Como conciliar esses dois textos com a afirmação anterior, segundo a qual "a ligação (*sumplokè*) e a separação (*diairesis*) estão no pensamento (*dianoia*) e não nas coisas (*pragmata*)" (431a11), e esta, contida no *De Anima*?: "é em uma síntese (*sumplokè*) de conceitos (*noemata*) que reside o verdadeiro ou o falso" (431a11).

Efetivamente, é preciso articular, ou pelo menos conciliar as cinco teses seguintes:

(a) A verdade da asserção de um estado de coisas não é causa da existência desse estado de coisas[87]; (b) A causa da asserção de um estado de coisas é esse estado de coisas e não o contrário; (c) O pensamento verdadeiro está em conformidade com a união ou com a separação nos estados de coisas; (d) A separação ou a ligação estão no pensamento, não na coisa; (e) É na síntese de conceitos (ou de pensamentos) que reside o verdadeiro ou o falso.

(c) é compatível com (a) e (b), mas incompatível com (d) e (e). Assim, convém examinar melhor (c), e detectar se há no pensamento de Aristóteles, nesse ponto, uma contradição.

Para isso, é bom expor as relações entre pensamento e linguagem em Aristóteles. Depois, examinaremos o outro pólo: o estado de coisas, os *pragmata*. Aristóteles declara, na abertura do *De Interpretatione*:

> os sons emitidos pela voz são os símbolos (*sumbola*) dos estados de alma (*pathemata tes psukhès*) (...) E assim como existe na alma ora um conceito independente do verdadeiro ou o outro, assim também acontece com a palavra; pois é na composição e na divisão que consistem o verdadeiro e o falso. (*De Int.* 16a3 e a 10-13)

O problema se desloca: se a combinação dos pensamentos (*noemata*) encerra verdade e erro, qual é a relação das afeições da alma com os pensamentos? Poder-se-ia distinguir uma relação de simbolização das afeições pelos SONS emitidos pela voz e uma relação muito mais complexa entre as asserções e os pensamentos. Asserções e pensamentos são ambos combinações: a ligação (*sumplokè*) é necessária para que haja asserção verdadeira ou pensamento verdadeiro. O critério de verdade é o mesmo nos dois casos: à asserção ou ao pensamento de uma combinação deve corresponder uma combinação de pensamentos ou de nome(s) e verbo. A análise da natureza dessa relação entre pensamento e linguagem, nesse quadro conceitual, passa pela questão da identidade de um pensamento expresso[88] por asserções diferentes. No *De Int.* 20a39, Aristóteles afirma que (a) significa a mesma coisa que (b):

(a) todo não-homem é não-justo

(b) nenhum não-homem é justo[89]

Mas pelo menos três interpretações são possíveis: (a) e (b) exprimem o mesmo pensamento; (a) e (b) são asserções idênticas, exceto por uma equivalência lógica;[90] (a) e (b) significam a mesma coisa, porque o estado de coisas descrito é o mesmo. Como decidir entre essas interpretações?

Um esboço de solução dessas dificuldades deveria partir da seguinte observação: não há verdadeiramente relação explícita entre pensamento e linguagem, porque pensamento e linguagem se referem do mesmo modo aos estados de coisas. Se A e B se referem do mesmo modo a C, digamos, para simplificar, por uma relação R, qual é a relação entre A e B? Seria R? Depende das propriedades de R. Se R é uma relação de identidade entre duas estruturas, então essa relação existe entre A e B.

Para concluir, vamos considerar o outro pólo do processo de significação: a coisa,[91] ou o estado de coisas. *Pragma* é, de fato, regularmente oposto a *onoma*, tomado como a totalidade do dizer, concebido como poder de nomear. O *pragma* não tem estrutura particular; designa de modo não-analisado o correlato real da relação referencial. A análise do *pragma* conduz à estrutura tradicional da realidade ontológica: substância e atributo. O *pragma* não é, propriamente, a coisa nem o objeto; é simplesmente o que é nomeado pela expressão. Quando é por um *onoma*, então ele é uma coisa (no sentido da substância com seus atributos); quando é por um logos, ele é um estado de coisas.

## 5. Os estóicos

Com os estóicos, encontramos dificuldades análogas às que indicamos a respeito dos sofistas, e mais geralmente dos pré-socráticos. Os textos estóicos conservados em sua totalidade são tardios e não tratam, salvo exceção, da lógica ou da gramática. Ora, tudo leva a pensar que a filosofia da linguagem, a semântica dos estóicos era, pelo menos, tão elaborada e profunda quanto a de Platão ou Aristóteles. Por outro lado, encontramos, a propósito das doutrinas estóicas sobre o sentido, a significação, a referência ao mesmo problema levantado por Aristóteles: essa semântica é elaborada no âmbito de uma lógica,[92] também desaparecida em grande parte.[93] Todavia, essas dificuldades devem ser tantas quanto os motivos para admirar a coerência e a profundidade das doutrinas que vamos expor, como observa B. Mates:[94]

> Basta que imaginemos (...) alguém, no ano de 4000, estudando as teorias de Frege, servindo-se apenas de alguns relatórios hostis, em publicações não-técnicas,[95] para admirar o fato de que os fragmentos de doutrinas estóicas sejam tão claros e consistentes como realmente são.

Vamos considerar aqui principalmente o antigo estoicismo. É fundado por volta de 300 a.C. por Zenão de Cittium e se estende até 150 a.C. (conquista romana da Grécia). A segunda figura importante do antigo estoicismo é Crísipo. Lembremos que o estoicismo, com Sêneca (60 a.C. — 39 d.C.), Plutarco (50 — 125 d.C.), Epicteto (50 — 130 d.C.), Marco Aurélio (121 — 180 d.C.),[96] teve um período de grande desenvolvimento, principalmente no campo da moral, e foi esse estoicismo romano que se identificou, na cultura ocidental, com o estoicismo em geral.

Quais são as fontes do conhecimento do estoicismo para a

linguagem[97] e a lógica[98], já que as duas são inseparáveis nessa área? A fonte principal é Sexto Empírico, um filósofo cético grego, da primeira metade do século III d.C.[99] A outra fonte é Diógenes Laércio (século III d.C.).[100] Outras informações estão contidas em Galiano (129 — 199 d.C.),[101] Plutarco ou Cícero.

Os estóicos comparam a filosofia a um ovo: a casca é a lógica, a clara é a moral, e a gema, exatamente no centro, é a física.[102] Essa imagem mostra que, para os estóicos, a lógica é apenas uma propedêutica à ética e à física e que o coração da filosofia é o conhecimento científico da realidade. Será preciso procurar a ontologia dos estóicos simultaneamente em sua lógica e sua física. A análise da linguagem é apenas, como em Aristóteles, um auxiliar desse conhecimento. Em termos modernos, na Antigüidade a semântica é a serva da epistemologia. A diferença em relação a Aristóteles e Platão é que os estóicos são mais sistemáticos nesse ponto. Sua concepção hierarquizada da filosofia faz com que eles tenham desenvolvido de modo relativamente autônomo uma teoria da proposição.

A filosofia da linguagem dos estóicos está contida em sua lógica. Essa lógica se divide em duas partes: de um lado, a teoria da expressão ou da proposição, e de outro uma teoria da inferência. É a teoria da proposição que nos interessa. Podemos precisar também em termos estóicos o nosso objeto, dizendo que se a lógica está dividida em retórica e dialética,[103] trataremos exclusivamente da dialética, isto é, da "arte de dizer corretamente nos diálogos".[104] Sempre segundo Diógenes Laércio, "a dialética se subdivide em duas partes, uma referente ao significado (*semainomenon*), outra ao significante (*phonè*)",[105] ou, em outras palavras, as significações e a enunciação. Trataremos mais especialmente da parte referente ao significado, e mais particularmente do significado proposicional.[106]

Voltemos à divisão da lógica. Se os estóicos operam um deslocamento da lógica, recusando-se a fazer da dialética um simples instrumento, como Aristóteles eles não superam a posição platônica diante da retórica:

> Alguns dividem a lógica em duas ciências, retórica e dialética; outros, em teoria das regras e dos critérios; outros ainda suprimem a teoria das definições. A teoria das definições serve também para o discernimento da verdade; pois as coisas reais são apreendidas graças às noções. A retórica é a ciência do bem dizer nas lições expressamente discursivas, a dialética

é a ciência da discussão correta nas lições por perguntas e respostas; assim eles a definem como ciência do verdadeiro, do falso e daquilo que não é nem um nem outro. Eles admitem três partes na retórica: a deliberativa, a judiciária, a laudativa. Ela também é dividida em invenção, elocução, ordem e ação sobre o auditório. Divide- se o discurso retórico em prólogo, relato, refutação e epílogo.

Como vimos, a dialética, por sua vez, se divide em teoria das significações e teoria da enunciação.[107] O que se refere às significações se divide da seguinte maneira:

o que é significado (*semainomenon*) se divide em noções[108] (*phantasiai*) e conseqüentemente em exprimíveis subsistentes (*uphistamenon lekton*) — proposições (*axiomaton*), exprimíveis completos (*autotelon*), predicados (*kategorematon*), outros termos diretos [ativos] (*omoion orthon*) ou inversos (*uption*) [passivos], gêneros (*genon*), espécies (*eidon*) e ainda os argumentos, os modos, os silogismos e os sofismas sobre as palavras e as coisas, tais como os raciocínios falsos ou especiosos ou negativos, os sorites e os raciocínios truncados ou tendenciosos ou envolvidos, ou absurdos, ou sutis ou capciosos.[109] (...)[110]

A dialética contém principalmente o que se refere às noções, aos sofismas, aos constituintes das proposições. Sua definição ultrapassa bastante aquilo que se entende habitualmente sob o nome de "lógica", simultaneamente do lado da semântica da proposição e de uma psicologia do conhecimento.

A classificação estóica dos sofismas é exposta por Galiano.[111]

A semântica da proposição repousa sobre uma distinção dos aspectos fonéticos e semânticos do enunciado. As palavras e frases enunciados se distinguem dos simples sons por possuírem uma significação:

O enunciado (*lexis*) e o discurso (*logos*) são diferentes, pois o simples som é uma enunciação, mas só o som articulado é um enunciado. E o discurso é diferente do enunciado, porque ele é sempre significante, ao passo que o enunciado pode ser desprovido de significação, por exemplo *blituri*[112], o que não ocorre de modo algum com o discurso. Além disso, dizer (*legein*) é diferente de proferir (*prophairestai*). Pois as enunciações (*phonai*) são proferidas, mas o que é dito (*legetai*) são os estados de coisas (*pragmata*) que carregam os ditos (*lekta*).[113]

A *lexis* é uma *phonè engrammatos* e o *logos* uma *phonè sémantikè*: a *lexis* é, em termos modernos, uma seqüência gramatical, enquanto o *logos* é uma expressão dotada de sentido. A diferença entre *prophairestai* (proferir) e *legein* (dizer) não corresponde, aliás, à que o *Sofista* estabelece entre *onomazein* e *legein*. Os estóicos, de fato, introduzem um terceiro nível: os *lekta*. A tradução desse termo é difícil. Escolhemos a mais neutra: "ditos". O *lekton* é o dito de uma enunciação semântica, de um discurso (*logos*). Em que sentido se pode afirmar que os estados de coisas carregam (*tunkanei*) os ditos (*lekta*)? Sabe-se que um nome é carregado por um indivíduo de carne e osso, um portador do nome, que os estóicos chamam, precisamente, um *tunkanon*? Nossa hipótese é que o texto acima estabelece uma analogia: nome/portador = dito/estado de coisas. Essa analogia, que não se deve levar ao pé da letra, permite esclarecer o status dos *lekta*, intermediários entre os discursos e os estados de coisas.

Quanto aos *lekta*, o texto clássico de partida é o seguinte:[114]

Há uma outra discordância entre os filósofos sobre a verdade: alguns identificam a esfera daquilo que é verdadeiro e falso com a coisa significada (*semainomenon*), outros com a voz (*phonè*), outros ainda com o processo que constitui o pensamento (*kineseis tes dianoias*). Os estóicos defenderam a primeira opinião, afirmando que três coisas são ligadas, a coisa significada (*semainomenon*),a coisa que significa [o significador][115] (*semainon*) e a coisa existente [o portador do nome] (*tunkanon*). O significador é um enunciado, por exemplo "Dion", a significação é o estado de coisas real revelado por um enunciado, e que nós apreendemos como ele subsiste de acordo com o nosso pensamento, embora não seja compreendido por aqueles cuja linguagem é diferente, ao passo que eles entendem o enunciado; o portador do nome é o objeto externo, por exemplo o próprio Dion. Desses, dois são corpos — o enunciado e o portador do nome, mas o outro é incorporal — o estado de coisas significado e dizível, que é verdadeiro ou falso.[116]

Um texto de Sêneca nos permite precisar, não mais a propósito de um nome próprio, mas de uma frase, a doutrina do *lekton*:

Por exemplo, vejo Catão andando: a percepção sensível o revelou, e eu acreditei. O que vejo é um corpo, e é para um corpo que voltei meus olhos e meu espírito. Digo então: "Catão anda." O que eu enuncio agora não é um corpo, mas uma certa enunciação sobre um corpo, que alguns chamam de proposição, outros de coisa enunciada, e outros ainda de coisa dita. Assim, quando dizemos "sabedoria", compreendemos algo de corporal; quando dizemos "ele é sábio", falamos de um corpo. Há uma grande diferença entre nomear uma coisa e discorrer a respeito dela.[117]

O que é um *lekton*? O que é o exprimível?[118] E dizível? Ontologicamente, é um incorporal,[119] epistemicamente é o conteúdo de um pensamento, lingüisticamente é a significação de uma frase acabada. Na natureza, só existem corpos. Os exprimíveis incompletos — os verbos — são atributos incorporais dos corpos. Os estóicos recusam-se a considerar a relação predicativa como uma relação entre classes e, logo, resistem a encarar a proposição como uma ligação de dois elementos por um terceiro (a cópula). De fato, para eles, ontologicamente, só há indivíduos. A proposição estóica é pois composta de um nome e de um verbo, como a proposição platônica, verbo remetendo a um acontecimento: "a árvore verdeja" (e não: "a árvore é verde"). Existiria uma transformação que se poderia qualificar de anti-peripatética, que passaria de "Sócrates é sábio" a "Sócrates sabifica":

> A dialética estóica, submetida à linguagem, não decompõe mais o verbo, como fazia Aristóteles, em uma cópula e um atributo designando uma noção geral;[120] ela toma o verbo em sua unidade, na medida em que ele exprime um acontecimento. O atributo é apenas esse acontecimento, e são apenas os acontecimentos que podem ser objetos do discurso (*lekta*). Eles não são realidades; a única realidade é o ser que age; são resultados da atividade dos corpos, são "incorporais". A dialética se ocupa pois, unicamente, dos acontecimentos ou das conseqüências dos acontecimentos.[121]

O exprimível, a rigor, não é, ou não existe: subsiste. Essa caracterização ontológica depende do seu status ontológico: "Eles [os estóicos] dizem que um exprimível é o que subsiste (*uphistamenon*) de acordo com uma noção racional (*logikè phantasia*), e uma impressão racional é aquela cujo conteúdo pode ser mostrado na linguagem."[122]

O exprimível é, portanto, um quase-ente, uma quase-coisa. Dizer que ele subsiste é dizer que ele supera a oposição entre existir e não existir.

A sub-sistência[123] denota um modo ontológico, o dos objetos de discurso e de pensamento, que, propriamente, não são. Para Platão,[124] ser alguma coisa já é existir. Para os estóicos, existe toda uma série de incorporais, que não existem (os seres fictícios, as entidades designadas por dêiticos, o vazio, o tempo etc.) e para os quais um termo mais amplo, como "subsistir", é necessário. O *huphistasthai* estóico já foi comparado[125] ao *bestehen* de Meinong,[126] que designa o modo ontológico das funções: um centauro subsiste, ele tem um ser tal (*Sosein*), mesmo que não tenha existência no sentido estrito.[127]

Os *lekta* incompletos são casos ou predicados. O caso (*ptosis*) não deve ser compreendido no sentido gramátical habitual,[128] mas em um sentido categorial: o caso é o que deve ser acrescentado a um predicado, para obter uma proposição. Se "um barco" é um caso, acrescentado a "chega", obtém-se a proposição "o barco chega", que é um *lekton* completo, que exprime um pensamento e é suscetível de ser verdadeiro ou falso.

O caso designa pois uma expressão nominal incompleta, enquanto o predicado designa uma expressão verbal incompleta.[129] O som "cão" significa (*semainei*) um "caso", isto é, um animal que late.[130]

Os predicados (*kategorema*) são o que se diz de alguma coisa, e que é incompleto, não basta a si mesmo. Por exemplo, se alguém diz "escreve", eu pergunto: "Quem?" e, se me respondem "Sócrates", fico de posse de uma proposição completa — "Sócrates escreve".[131] Existe uma classificação dos predicados que segue de perto a classificação gramatical dos verbos (construções casuais, ativo/passivo etc.).[132]

Os *lekta* completos não são apenas *axiomata* suscetíveis de ser verdadeiros ou falsos; eles podem ser também expressões interrogativas, dubitativas ou imperativas, que não são verdadeiras nem falsas. Portanto os estóicos dão, como Aristóteles, um lugar às expressões não-assertivas. Sabemos que para Aristóteles a súplica era um logos não apofântico. Assim, os estóicos fazem da pergunta um lekton completo, mas que difere da asserção. Uma asserção significa simplesmente que se aceita ou se rejeita um fato (dizendo "amanhece", aceito o fato de que amanheça). Mas uma pergunta pede uma resposta; um imperativo transmite uma ordem etc.

Os estóicos admitem cinco partes do discurso (*meros logou*): o nome próprio, o nome comum, o verbo, a conjunção, o artigo. A diferença nome comum/nome próprio repousa sobre uma diferença entre qualidade comum (*koinè poiotès*) — a de ser um homem ou um cavalo — e qualidade particular (*idia poiotès*) — a de ser Diógenes ou Sócrates.[133] O que é essa qualidade particular? O texto de Diógenes Laércio[134] diz precisamente: "uma qualidade particular como (*oion*) Sócrates, Diógenes".

A qualidade particular é algo de corporal — os estóicos só conhecem "particulares objetivos" (*objective particulars*).[135] A qualidade é um dos quatro gêneros ontológicos fundamentais dos corpos.[136] É preciso, portanto, entender de modo puramente material a qualidade particular.[137] Existem pelo menos dois modos de fazê-lo: como a propriedade de ter tal contorno espacial para um indivíduo, ou então como a propriedade material de ser portador de tal nome. Na ausência de testemunhos mais precisos, é difícil decidir. De qualquer forma, é importante enfatizar que os estóicos, ao fazerem essa distinção entre dois gêneros de qualidades, constataram a diferença radical que existe entre nome comum e nome próprio, diferença presente em Aristóteles e Platão, mas que não tem seu correspondente ontológico. Desse ponto de vista, como na sua doutrina dos *kategoremata*, os estóicos anunciam Frege.

As partes do discurso podem ser relacionadas, por um lado com o que é significado, por outro lado, com os gêneros (ou categorias, em um sentido menos estrito). O artigo[138] (*arthron* designa um caso dêitico (*ptosis deiktiké*) da categoria da substância (*upokeimenon*). O nome comum (*onoma*) designa um caso, do gênero da qualidade comum — por exemplo, "cavalo" designa um sujeito, um aquilo-do-qual-é-o-caso,[139] do gênero da qualidade "cavalo" comum aos diferentes cavalos, enquanto o nome próprio (*prosegoria*), se ele também designa um caso, é um caso do gênero da qualidade particular — por exemplo "Sócrates" designa um sujeito do gênero da qualidade própria a Sócrate (com a imprecisão ligada à interpretação exata dessa qualidade). Enfim, o predicável[140] (*rhema*) designa um predicado acabado ou um predicado não-acabado, do gênero, respectivamente, do disposto e do relativamente disposto.[141]

Além disso, comentaristas recentes insistiram no fato de que para os estóicos, os nomes próprios não referem, no sentido estrito. Só um dêitico refere (daí a importância extrema d admissão do artigo [*arthron*] nas partes do discurso). A proposição "Sócrates corre" é rigorosamente indefinida, como é indefinida a proposição "alguém corre". Só é perfeitamente definid a proposição "esse homem corre":

> Das proposições simples, algumas são definidas, outras indefinidas, outras ainda intermediárias. As definidas são expressas por uma referência demonstrativa, por exemplo, "Este anda", "Este está sentado", pois eu me refiro demonstrativamente a um homem particular. As indefinidas, dizem eles [os estóicos], são aquelas que comportam um elemento indefinido primordial, por exemplo "Alguém está sentado". As proposições intermediárias são da forma "Um homem está sentado", ou "Sócrates está sentado". "Alguém anda" é indefinida, pois não indica nenhuma pessoa particular que anda; ela pode ser expressa de maneira geral com uma referência a qualquer uma delas. Mas "Esta pessoa está sentada" é definida, po

indica a pessoa que é objeto de uma demonstração. "Sócrates está sentado" é intermediária, pois não é definida nem indefinida (...).[142]

As proposições definidas são, portanto, aquelas que comportam um forte elemento dêitico, ou, mais exatamente, cuja *ptosis* é o objeto de uma *deixis*.

A situação histórica e material das doutrinas do antigo estoicismo apresenta um grande número de semelhanças com a da filosofia de Leibniz:[143] a fragmentação textual que não consegue mascarar uma extraordinária coerência; incompreensível para seus sucessores (os kantianos, para Leibniz, os escolásticos, para os estóicos), mas objetos de redescobrimento e reinterpretações radicais, à luz de mutações científicas (a lógica matemática para Leibniz, a semântica fregeana para as doutrinas semânticas dos estóicos).

## 6. Os epicuristas

Há uma tendência para subestimar a contribuição dos epicuristas para a filosofia da linguagem, provavelmente por causa do desdém de seu fundador pela retórica, pela gramática, pela lógica[144] e pela dialética. A estrutura histórica do epicurismo apresenta semelhanças com o estoicismo: uma forma primitiva grega seguida, muito mais tarde, de uma retomada romana, por Lucrécio (99-55a.C.), no caso. A situação textual é menos desesperançosa para o epicurismo: possuímos *Cartas* de Epicuro.[145] A oposição clássica entre um estoicismo espiritualista e um epicurismo materialista não repousa sobre nada.[146] Já vimos a natureza materialista da ontologia do antigo estoicismo; deveremos também precisar como a ontologia epicurista repercute na linguagem. Mais do que uma oposição com falsa simetria, deve-se falar de duas variantes de uma reação materialista contra o platonismo.[147]

Essa reação materialista está patente no domínio da linguagem, como mostra este texto de Aulo-Gélio:

Os mais ilustres filósofos, por muitas vezes e desde muito tempo, agitaram a questão de saber se a voz é um corpo ou se ela é incorporal.[148] (...) Os estóicos afirmam que a voz é um corpo (*corpus*) e que ela não é nada mais do que o ar ferido. Platão, ao contrário, a crê incorporal:[149] "A voz não é apenas percussão do ar, pois o movimento do dedo fere o ar e não produz nenhum som; mas a percussão deve ser viva, forte, e tal que possa ser ouvida."[150] Demócrito,[151] e depois Epicuro, dizem que a voz é composta de partículas indivisíveis, que é uma espécie de emanação de átomos que produzem o discurso, *reuma logon*, para usar uma expressão deles.[152]

Segundo dois testemunhos convergentes[153] que temos sobre Demócrito, este fazia dos nomes dos deuses "representações vocais dos deuses":

O nome de Zeus é o símbolo da imagem vocal da realidade demiúrgica, considerando que aqueles que atribuíram os nomes às coisas, em sua extrema sabedoria, tornaram manifestas, como os maiores escultores, as propriedades das coisas, servindo-se dos nomes como de imagens.[154]

Encontramos em Epicuro o mesmo respeito e a mesma atenção à nomeação, previamente ao estudo dos invisíveis (*adela*) — o vazio, os átomos, a infinidade dos mundos —, e à nomeação do enunciado do grande princípio "nada nasce do nada".

Devemos começar, Heródoto, por saber bem o que está oculto sob as palavras essenciais (*upotetagmena*),[155] a fim de poder, relacionando-os às próprias coisas, fazer julgamentos sobre nossas opiniões, nossas idéias e nossas dúvidas. Assim, não corremos o risco de discutir à saciedade, sem resultado, pronunciando palavras vazias. De fato, é necessário estudar primeiro o sentido de cada palavra, para que não seja preciso um acréscimo de demonstração, quando discutirmos nossas questões, nossas idéias, nossas dúvidas.[156]

Aqui, a consciência semântica desempenha o papel de propedêutica à percepção clara da realidade tal como ela é. Encontraremos mais tarde essa função crítica da semântica, em autores tão diferentes quanto Anselmo, Berkeley ou Wittgenstein.

Os epicuristas, por um lado, excluem as proposições, e por outro defendem uma opinião original e pertinente sobre a origem da linguagem. Sua crítica da doutrina estóica do *lekton* é radical, como podemos notar nessa violenta diatribe de Plutarco:

Quem está mais errado do que vós [epicuristas] a respeito da linguagem? Abolis completamente a classe dos exprimíveis,[157] aos quais a linguagem deve a sua existência, conservando apenas palavras e portadores de nomes, negando até a existência dos estados de coisas, significados de maneira intermediária, pelos quais surgem a aprendizagem, o ensino, as preconcepções, os pensamentos, os impulsos e os assentimentos.[158]

Os epicuristas atribuíram talvez, segundo Plutarco, *lekta* ao espaço, ao tempo e ao lugar, isto é, a categorias estóicas, coincidindo em parte com os seus "invisíveis". Se fosse o caso, os epicuristas teriam limitado sua exclusão das proposições ao campo da teoria da significação e da referência. Epicuro é partidário, para a linguagem filosófica, simultaneamente de criticar as convenções lingüísticas, que são fonte de erro, e de respeitar o uso corrente para os termos:

(...) todo erro humano provém das preconcepções e das aparências causadas pelas convenções extremamente variadas da linguagem.[159]

(...) nosso próprio uso [das palavras] não modifica a convenção lingüística, nem altera os nomes relativamente a coisas evidentes.[160]

Epicuro até prefere os nomes às definições.[161]

Quanto à origem da linguagem, Epicuro rejeita todo convencionalismo que afirmasse haver acordo prévio ao uso sobre a nomeação:

É preciso crer que nossa natureza aprende muito com as próprias coisas e recebe a marca de muitas coisas. Por conseguinte, o raciocínio aperfeiçoa os conhecimentos dados pela natureza, e lhes acrescenta invenções novas, mais ou menos depressa, segundo os casos, e com progressos mais ou menos rápidos. A linguagem, assim, não foi estabelecida desde a origem por convenção. É a natureza humana, em cada povo, que, tendo suas afeições e suas percepções próprias, fez sair da garganta, de um modo particular, o ar empurrado por cada afeição (*pathé*) ou cada percepção (*phantasmata*), com diferenças atribuídas às dos diferentes povos nos diferentes lugares. Mais tarde, cada povo instituiu uma linguagem própria, mas comum a todos os seus membros, para evitar confusões na designação dos objetos e para permitir exprimir-se de modo mais breve.[162]

Epicuro distingue aqui uma protolinguagem, exprimindo os afetos, natural ou, de qualquer forma, não submetida à convenção, e línguas, cuja reunião forma a linguagem propriamente dita, submetidas parcialmente à convenção. Diógenes de Oinoanda[163] precede Wittgenstein em sua crítica de uma versão da teoria convencionalista que poderia ser aproximada da teoria da rotulagem semântica, notando que é totalmente absurdo imaginar um nomoteto, um professor primitivo que designasse os objetos um a um, dizendo "que isto seja chamado 'pedra'; que isto seja chamado 'cão'".[164]

Lucrécio soube dar a essas teses epicuristas muito relevo:

Quanto aos diversos sons da linguagem, é a natureza que levou os homens a emiti-los, e é a necessidade que faz nascer as necessidades das coisas; mais ou menos como vemos a criança levada a recorrer ao gesto por sua própria incapacidade de exprimir-se com a língua, que a faz mostrar com o dedo os objetos presentes (...). Assim, pensar que então um homem pudesse dar a cada coisa um nome, e que os outros tivessem aprendido com ele os primeiros elementos da linguagem, é verdadeiramente uma loucura. Se ele designou cada objeto por um nome, emitiu os diversos sons da linguagem, por que supor que outros não teriam podido fazê-lo ao mesmo tempo que ele? Além disso, se os outros não tivessem igualmente usado da palavra entre si, de onde a noção da sua utilidade lhe teria vindo? De quem ele recebeu o privilégio de saber o que podia fazer e ter a clara visão disso? Do mesmo modo, um único homem não poderia convencer toda uma multidão (...).[165]

O que é criticado em todas essas argumentações é a doutrina platônica da adequação dos nomes que derivam de uma imposição primitiva, supondo por sua vez um nome ideal.[166] Essa doutrina visava explicar a idealidade da linguagem, já que se ultrapassa o nível da articulação dos sons e da mostra, onde se confina a doutrina epicurista. No que se refere ao "discurso físico da palavra", para retomar a expressão de Géraud de Cordemoy, os epicuristas inovaram, principalmente ao mostrar de modo tão convincente que a linguagem não pode ser objeto de uma invenção. Onde fica a verdade, que parece exigir que se ultrapasse o nível das causalidades físicas?

Os epicuristas atribuem a verdade e a falsidade não às proposições (ou *lekta*), mas às frases, diretamente:

Mas como Epicuro e Straton, o físico,[167] só admitem dois destes [a coisa significada, a coisa significante, a coisa existente] — a coisa existente e a coisa significante — parecem partidários da segunda opinião [a primeira põe a verdade na coisa significada, e a terceira no intelecto] e atribuir a verdade ou a falsidade ao som (*phonè*) [isto é, à coisa significante].[168]

O que significa atribuir a verdade ou a falsidade à *phonè*? Se se trata da voz em sua materialidade, é absurdo: como se poderia atribuir a verdade à seqüência de sons que formam "cão"? Trata-se, pois, do enunciado, isto é, da frase proferida em um certo contexto. É um critério exterior ao enunciado que vai assegurar o seu valor de verdade, e critério esse deve ser procurado essencialmente nas sensações universais ou particulares, nas preconcepções e enfim nas afeições. Em última análise, essa concepção supõe a verdade de todas as impressões,[169] que apenas estaria depositada nos enunciados. Essa verdade de todas as impressões supõe uma capacidade de realizar uma discriminação entre as impressões ou sensações, sobre a qual nos esclarece um papiro de Herculano,[170] que declara que cada sentido (tato, paladar, visão etc.) tem sua própria "esfera de discriminação": o tato é discriminatório para a esfera do tato etc., e é apenas por analogia que existem parcialmente elementos comuns a várias esferas, como a forma ou o tamanho. Não há esfera de discriminação comum a todos os registros sensoriais. É interessante constatar de novo que a tese da incomunicabilidade dos registros sensoriais, ou mais profundamente da incomunicabilidade dos gêneros, funda uma recusa do idealismo semântico, como em Górgias.

## 7. Plotino e os neoplatônicos

Pode parecer estranho dar um lugar ao neoplatonismo[171] em uma história das concepções filosóficas da linguagem. Os neoplatônicos não têm tendência a desqualificar maciçamente o discurso e a só valorizar a intuição? Entretanto, a redescoberta progressiva dessa corrente levou à revisão dessa maneira de ver um tanto esquemática. O neoplatonismo, na medida em que se esforçou para fazer a síntese de Platão e Aristóteles, tropeçou forçosamente na questão da linguagem. Além disso, as teses inefabilistas fortes podem revelar, por ausência, características interessantes da linguagem. A característica de uma história tal como a compreendemos é poder dar um lugar até àqueles que não se preocuparam com o conhecimento empírico da linguagem — mas os epicuristas não estão no mesmo caso?

Deve-se procurar o essencial das considerações sobre a linguagem de **Plotino** (205-269) em seu comentário das *Categorias* de Aristóteles e dos gêneros do *Sofista* de Platão, assim como em sua crítica das categorias estóicas.[172]

Se a concepção plotiniana da linguagem está na linha reta das concepções platônicas, a originalidade de Plotino consiste, entre outras coisas, em ter concebido a palavra (*logos*) como uma ação significativa (*poiesis sémantikè*):

> Em que sentido a palavra (*logos*), o tempo e o movimento são quantidades? E primeiro, a palavra: sem dúvida, ela é medida; sendo palavra, ela tem uma quantidade,[173] mas enquanto tal, ela não é uma quantidade; pois ela consiste em significar alguma coisa, como o nome ou o verbo. Como eles, ela tem o ar como matéria; pois é deles que ela é composta. Ou antes, a palavra é o abalo do ar, e não um abalo qualquer, mas um abalo que informa o ar, com a marca resultante. Ela é portanto uma ação, e uma ação que significa.[174]

Plotino defende, sobre a linguagem interior ou mental, uma tese não-proposicional: ela não é composta de partes separadas (por exemplo, de palavras, ou de proposições com uma estrutura verbo-nome ou sujeito- predicado). "Como a linguagem falada, comparada com a linguagem interior da alma, se fragmenta em palavras, a linguagem da alma que traduz o logos divino é fragmentária se se a compara com o logos."[175]

A distinção da linguagem proferida e da linguagem interior[176] é platônica, mas a tese da não-proposicionalidade desta última é original.[177] A propósito da derivação *einai* (ser) de *hen* (um) — uma das afirmações plotinianas mais cruciais — Plotino observa que a linguagem conserva o vestígio das coisas: "a voz (*phonè*), à vista disso [da potência do Uno] e sob a influência desse espetáculo [da derivação do ser] conserva a sua imagem e pronuncia as palavras: *on* (ente), *einai* (ser), *ousia* (substância), *Hestia* (núcleo)".[178]

Mas se a linguagem conserva algo da realidade, é incapaz de apreender o próprio princípio: "Na realidade, nenhum nome lhe [ao princípio] convém; já que se deve nomeá-lo, convém chamá-lo Uno, não no sentido de que ele seja uma coisa que tem depois o atributo do Uno."[179]

Plotino se separa de Aristóteles pela sua classificação dos verbos; recusa-se a adotar a divisão peripatética entre o agir e o sofrer. A propósito do agir, Plotino pergunta: "O agir, segundo eles [os peripatéticos], compreende os atos e os movimentos, os atos que se produzem instantaneamente e os movimentos que se produzem sucessivamente, como a ação de cortar?"[180]

Seu procedimento é o seguinte: construir uma classificação dos verbos que indica precisamente quais são suscetíveis de aparecer na forma passiva, o que o leva a substituir a oposição central transitivo/intransitivo por uma outra classificação:

- Verbos
  - atos instantâneos[181]
    - ação absoluta (ex.: *falar*)
    - ação relativa (ex.: *pensar algo*)
  - atos sucessivos
    - ação absoluta (ex.: *andar*)
    - ação relativa (ex.: *dividir algo*)

Não se trata de uma classificação verbal explícita: é, antes, uma classificação das ações, mas supõe uma observação sobre os campos de referências dos verbos. Por exemplo, a oposição entre "falar" (absoluto) e "dividir" (relativo) é simultaneamente uma distinção que repousa sobre a modificação do sujeito e do objeto e um trabalho sobre a distinção entre intransitivo e transitivo. Pode-se comparar essa classificação com a de Aristóteles. Ele distingue os verbos de *kinesis* como "construir", os de *exis*, como "viver", os de *praxis*, como "pensar".[182] A distinção *energeia/kinesis* corresponde, em geral, à oposição absoluto/relativo de Plotino; ela corresponde à oposição entre *praxis* e *poiesis*.

A propósito da categoria aristotélica do "quando",[183] de que Aristóteles não trata detalhadamente,[184] Plotino faz algumas observações sobre a expressão do tempo, desenvolvendo uma indicação do *Timeu*:

> Ora, na verdade, a expressão *é* só se aplica à substância eterna. Ao contrário, *era, será* são termos que convém reservar àquilo que nasce e progride no tempo, pois são apenas mudanças. (...) Além disso, todas as fórmulas do gênero: o que se torna *está* em curso de tornar-se, ou ainda: o futuro *é* futuro, ou ainda: o não-ser *é* o não-ser, todas essas expressões nunca são exatas.[185]

Plotino[186] distingue a propósito de "ontem" a designação do tempo e a do passado: "já que *ontem* é tempo passado, será um termo composto; pois passado e tempo são dois termos diferentes".[187] Além disso, "ontem", em combinação com "estava" (como em "Ontem, Sócrates estava sentado") indica o quanto — "*ontem* é tempo determinado".[188] Logo, o que é tempo pertence ao tempo, e o que é determinação da referência temporal pertence à quantidade: não há pois nenhuma necessidade da categoria do "quando". A propósito da expressão "Sócrates estava há pouco", Plotino levanta a questão da referência temporal de um termo como "Sócrates" em uma frase no passado: "Sócrates estava há pouco". Plotino observa que a concepção aristotélica levaria a escolher entre Sócrates fora do tempo e Sócrates parte do tempo.[189]

Entre os neoplatônicos posteriores, **Damáscio**[190] (458-530 aproximadamente) é, sem dúvida, o que mais desenvolveu o caráter aporético de todo discurso sobre o princípio e, nessa ocasião, insistiu nos limites da linguagem para exprimir a realidade do inefável e do incognoscível. Segundo ele, é até insuficiente declarar que o princípio é inefável: não se deve temer redobrar a afirmação e declarar que ele é inefavelmente inefável.[191] Ele põe a negação acima da analogia no que se refere a "um que está além de tudo".[192] A eliminação do discurso precede a da intelecção. Nessa perspectiva, Damáscio retoma a questão da nomeação dos deuses, mas do ponto de vista dos próprios deuses:

> Assim como eles falam com os egípcios, com sírios e com os gregos, usando a língua própria a esses povos — senão, eles lhes falariam em vão — assim também, desejando transmitir aos homens coisas que lhes dizem respeito, será justo que eles usem a linguagem humana. Ora, essa linguagem é composta de verbos e de nomes, mas também de noções que lhes correspondem e lhes são análogas.[193]

Assim, a analogia tem um certo valor, quando são os deuses que nos falam: suas comunicações passam necessariamente pela linguagem e elès têm que recorrer à analogia, "indicação da luz do além, que supera tudo em brilho e grandeza".[194] Mas, da parte do homem, quando ele procura "sondar o abismo inteligível",[195] tem que recorrer à analogia, sem dúvida, mas também e principalmente à negação.[196] O que é então motivo de contentamento é o fato de que a linguagem "se denuncia a si mesma como inadequada":[197] "O discurso deve ser louvado apenas pelo fato de que ele denuncia a si próprio o seu próprio não-valor, e reconhece que vê mal e não pode olhar de frente a luz do além, inteligível e plena."[198]

Daí o recurso à analogia. A necessidade da analogia, longe de revelar uma potência do discurso, mostra a sua fraqueza radical e constitutiva em relação às realidades não-sensíveis. Vemos aqui surgir a problemática dos nomes divinos, que, ao lado da construção de uma teoria da referência para as realidades sensíveis, alimenta toda uma parte das reflexões semânticas antigas e medievais. Essa problemática, em Proclo, por exemplo, se apóia explicitamente na tese da adequação dos nomes defendida no *Crátilo* — não há nada de errôneo na linguagem. "De fato, no *Crátilo*, é muito especialmente a respeito dos seres divinos que Sócrates pensa que deve mostrar que os nomes foram corretamente estabelecidos."[199]

Proclo distingue nomes divinos de diferentes níveis hierárquicos: os do primeiro nível são "completamente próprios e realmente divinos... estabelecidos no nível dos próprios deuses", os do segundo nível são estabelecidos "como similitudes dos nomes do primeiro grau (...) eles têm um status demoníaco", os de terceiro nível enfim são "produtos no nível do discurso". Estes últimos nomes são "imagens dos seres divinos", produzidas pelo intelecto "como uma estátua dos deuses".[200]

Essa semântica dos nomes divinos será desenvolvida, no contexto do platonismo cristão,[201] pelo Pseudo-Dionísio o Areopagita,[202] principalmente em seu tratado *Os nomes divinos*.[203]

## 8. Antigüidade tardia

Introduziu-se a categoria histórica de "Antigüidade tardia"[204] para o período de aproximadamente cinco séculos, que vai do início do século IV ao início do século IX, isto é, para fixar as idéias, do advento de Constantino I em 306,[205] à sagração de Carlos Magno, em 800. Esse período é marcado, intelectualmente, por um relativo cochilo da filosofia e da teologia, se considerarmos exceção de obras como a de Isidoro de Sevilha. Mas esta, assim como as de Boécio e de Santo Agostinho, que predominam, são marcadas por um traço comum: elas se esforçam por preservar o essencial do equipamento intelectual da herança antiga e por erguer uma estrutura de recepção para essa herança na teologia cristã, que acaba de receber as suas primeiras formulações pelos padres da Igreja. Entretanto, se esse período não é propriamente frutífero (salvo certamente a filosofia da história de Santo Agostinho), teve uma importância capital para a percepção posterior da Antigüidade, no que se refere às doutrinas semânticas e gramaticais, e para a elaboração de uma cultura cristã — no que diz respeito às grandes linhas de uma apreensão cristã da linguagem, principalmente em relação à interpretação das Escrituras e dos limites da teologia.

Assim, antes de expor as idéias mestras de Santo Agostinho e Boécio, devemos lembrar os novos quadros da reflexão sobre a linguagem. Fazem parte desses quadros: uma série de textos bíblicos referentes à linguagem; um conjunto de regras de interpretação para os textos sacros; a definição e a sistematização de uma teologia simbólica, que pensa ao mesmo tempo signos, palavras e sacramentos. Tudo isso faz parte daquilo que um crítico chamou de "grande código", isto é, daquilo que estruturou as mensagens intelectuais até o Renascimento.

Os textos bíblicos referentes à linguagem, que vão desempenhar um grande papel, são: a nomeação, por Adão, das coisas criadas e suas conversações com Deus,[206] o mito da torre de Babel,[207] a revelação do nome de Deus ("Eu sou aquele que é") por ele próprio,[208] o logos criador no prólogo do *Evangelho de João*,[209] a idéia de um nome secreto de cada criatura, que só Deus conhece.[210] À simples leitura dessa lista, constata-se que a abordagem judaico-cristã é marcada por várias idéias estranhas à Antigüidade: a da criação (Adão, o logos criador), a da historicidade da linguagem (Babel), a de uma historicidade do nome divino (revelado em um lugar preciso) e enfim a da retidão dos nomes, fruto de uma relação pessoal com Deus (Adão, ou os últimos tempos). A revelação, portanto, reserva um lugar importante à linguagem, mas a partir de pressupostos estranhos ao espírito da Antigüidade.

Toda uma série de regras vão, progressivamente, governar a interpretação do texto da revelação, o que é, precisamente, a teologia. Vamos apenas mencioná-las, pois estamos aqui nas fronteiras da semântica e da hermenêutica. As regras de interpretação alegórica já existiam na Antigüidade pagã, principalmente a propósito da interpretação dos mitos de Homero,[211] com um conflito entre a crítica dos antropomorfismos à maneira de Anaximandro[212] e as interpretações estóicas mais conservadoras. A teologia cristã logo conhecerá esse tipo de tensão, com o conflito entre a alegoria praticada em Alexandria, dependente de Orígenes, mística e preocupada, antes de tudo, em descobrir o sentido espiritual sob o sentido literal, e a praticada em Antioquia, codificada por Teodoro de Mopsueste, mais crítica e racionalista, preocupada em determinar precisamente o sentido gramatical e o contexto.[213] Esta última orientação será a de Maimônides e desembocará, através de muitos desvios, na leitura radical de Spinoza.[214] É através da exegese que a teologia se encontra com a linguagem.

As doutrinas de **Santo Agostinho** sobre a linguagem estão contidas essencialmente em três grupos de textos: a) os escritos expressamente consagrados à linguagem (dialética, semiótica) como o *De Magistro*, a *Dialética*; b) os escritos de exegese ou de controvérsia, que encontram, a partir dos textos bíblicos mencionados acima, problemas ligados à linguagem; c) o *De Trinitate*, na medida em que essa obra, talvez a mais profunda de

Santo Agostinho, pensa a especificidade do *verbum*. Vamos nos basear principalmente neste último texto.[215]

Um exemplo concreto introduz à semântica agostiniana: a procura e a interpretação de uma palavra — *temetum* — no *De Trinitate*. Agostinho escolhe como exemplo da categoria mais geral do "desejo de saber" a procura do sentido dessa palavra envelhecida. O desejo de conhecimento é originário e o desejo de compreender uma palavra desconhecida é uma manifestação desse desejo geral. Se ouvimos a palavra *temetum*[216], para procurar o seu sentido, devemos supor que se trata de um signo:

> Se alguém ouve um signo desconhecido como o som de alguma palavra cuja significação ignora, deseja saber o sentido, isto é, à evocação de que a palavra é destinada. Suponhamos, por exemplo, que alguém ouça a palavra *temetum*, e que, não a conhecendo, procure o seu sentido. Primeiro é preciso que ele saiba que é um signo, isto é, que não é uma palavra vazia de sentido, mas que algo é denotado por ela.[217]

Santo Agostinho distingue, pois, a impressão no espírito da forma articulada da palavra da manifestação da palavra como signo, fazendo "nascer o desejo de saber de que ela é signo".[218] O objeto do amor, que move a procura da palavra, não é a antecipação do conhecimento dessa palavra, mas o desejo da ciência que permite a sua compreensão:

> Qual é pois o objeto do seu amor [de quem procura o sentido da palavra]? Não é que ele sabe e que ele vê, na ordem das coisas, qual é a beleza de uma ciência na qual se encontra encerrado o conhecimento de todos os signos, que utilidade existe em ser perito nele, já que, graças a ele, os homens comunicam os seus pensamentos? As relações sociais seriam piores do que qualquer solidão, se eles não comunicassem o que pensam através da palavra.[219]

A procura de um conhecimento que suponha a posse de um conhecimento anterior, mesmo vago — pois não se poderia procurar o que nos é totalmente desconhecido —, a procura da ciência da linguagem supõe a posse de um conhecimento da linguagem, mesmo em estado informe e potencial.

O conhecimento do objeto, que se torna possível pelo signo (e que faz com que o signo seja significativo, que faz a diferença entre *blituri* e *temetum*), não é o signo que o dá, é a percepção do objeto — o conhecimento do objeto pelo signo supõe que o objeto já seja conhecido, e, logo, com todo o rigor, o signo tem a estrutura de um intermediário, que, cumprida a sua tarefa (encaminhar para o objeto), só tem que desaparecer: a sua estrutura seria simultaneamente mediadora e auto-eliminadora. Um segundo exemplo permite ilustrar essa tese central da semântica agostiniana:

> Para melhor compreender isto, suponhamos que, neste momento, ouvimos a palavra "cabeça" pela primeira vez. Ignoramos se é apenas um simples som da voz ou se ela possui também uma significação e procuramos saber o que é "cabeça" (lembro que desejamos o conhecimento não da coisa significada, mas do próprio signo, conhecimento que nos falta, evidentemente, pois ignoramos de que coisa essa palavra é o signo). Se, enquanto isso, alguém nos aponta o próprio objeto, ficamos sabendo, ao vê-lo, o sentido do signo que tínhamos visto até então mas não compreendido. Ora, como nesse signo há dois elementos, o som e a significação, o primeiro não é, certamente, percebido por meio do signo, mas pelo fato de que o sopro fere o ar; quanto à significação, ela só o é ao ver a coisa significada. De fato, o dedo que aponta não pode significar nada mais do que aquilo para o qual ele aponta. Ora, ele aponta não para o signo, mas para o membro chamado "cabeça". Assim, esse gesto não pode me fazer conhecer nem a coisa, que eu já conhecia, nem o signo para o qual não se aponta. Mas pouco importa o dedo apontado, que, parece-me, é mais o signo da própria ação de mostrar do que das coisas que são mostradas, exatamente como a preposição "eis". (...) Assim, procuro mostrar principalmente que, por meio dos signos chamados palavras, não aprendemos nada, pois, como já disse, aprendemos o valor da palavra, isto é, a significação oculta no som da voz, quando a coisa significada já é conhecida, antes do que esta última pela significação.[220]

Como na dialética estóica, a mostração, podendo exprimir-se pelo dêitico "eis", é primeira. Essa mostração dispensa o signo; ela apenas indica a coisa, ela põe em relação a coisa e o signo, mas por um ato de designação que não é da ordem do signo:[221] o dedo que aponta não é um signo, ele designa diretamente a coisa. Quando esse ato de mostração é cumprido, o signo — "cabeça" — pode valer para a coisa, mas não contribuiu em nada para o conhecimento da coisa. Essa maneira de conceber a origem do processo semiótico tem duas conseqüências: por um lado, uma teoria da aprendizagem da linguagem, por outro lado, uma doutrina do mestre interior, o Verbo, o único que pode ensinar, fazer chegar à satisfação do desejo de conhecer.

A aprendizagem da linguagem é concebida por Agostinho de modo puramente empírico:

> (...) eu não podia traduzir tudo o que eu queria, nem me fazer ouvir por todos aqueles que eu queria. Então, eu captava pela memória os nomes que eu ouvia serem dados às coisas, e que se acompanhavam de movimentos em direção aos objetos; eu via e fixava que o objeto tinha como

nome a palavra que se proferia, quando se queria designá-lo (*ostendere*). Essa vontade se descobria para mim pelos movimentos do corpo, por essa linguagem natural a todas as nações, que consiste em jogos de fisionomia, piscar de olhos, gestos, tom de voz, intermediários da alma — seja ela pedindo, possuindo, lamentando ou tentando evitar. Assim, essas palavras que eu compreendia, que diferentes frases me faziam ouvir freqüentemente, em seus lugares respectivos, eu compreendia pouco a pouco a sua significação, e elas me serviam para exprimir as minhas vontades com uma voz já exercitada em pronunciá-las.[222]

Esse texto foi retomado por Wittgenstein em *Pesquisas filosóficas*.[223] Santo Agostinho, segundo Wittgenstein, teria como tese principal que cada palavra possuidora de uma significação se limitaria implicitamente aos substantivos e descreve um "sistema de comunicação que não abarca tudo o que chamamos linguagem".[224] A denominação, "que é análoga ao fato de colar uma etiqueta em um nome",[225] seria apenas preparatória ao uso da palavra. Esses críticos de Wittgenstein evidenciam os limites dessas concepções: elas não podem ser modelos do aprendizado do uso. Elas se limitariam, de fato, ao aprendizado da relação de denotação, no caso de substantivos concretos designáveis simplesmente. A linha de defesa de tal teoria seria afirmar que é sobre a base de tal relação elementar que se constrói a totalidade das relações de significação (extensões aos nomes abstratos, passagem ao emprego das palavras em contextos sociais diferenciados), mas é precisamente essa concepção de uma relação elementar que Wittgenstein rejeita. Na linguagem, segundo ele, nós estaríamos imediatamente na água, sem ter tido tempo de aprender a nadar através de um manual. A concepção wittgensteiniana do aprendizado da linguagem o conduz a rejeitar a separação que Santo Agostinho operava entre, de um lado, o conhecimento das correspondências entre as palavras e as coisas, e de outro, o uso efetivo das palavras na comunicação.

A outra vertente da semântica agostiniana (ao lado de uma teoria semiótica empírica) é constituída por uma identificação do verbo mental e da iluminação pelo Verbo, concebido como único Mestre.[226] A palavra "verbo" (*verbum*) designa simultaneamente a palavra enquanto palavra e o conhecimento, ou o pensamento que acompanha a palavra. "Palavra enquanto palavra", isto é, a palavra cortada do seu potencial referencial:

Temos quatro termos bem distintos: a palavra (*verbum*), o dizível (*dicibile*), o dito (*dictio*), a coisa (*res*). A palavra "palavra" é uma palavra e significa a palavra. A palavra "dizível" é uma palavra e significa, não a palavra, mas o que é compreendido na palavra e conceitualizado. A palavra "dito" é uma palavra e significa ao mesmo tempo a própria palavra e o que é produzido no espírito pela palavra. A palavra "coisa" é uma palavra e significa todo o resto, isto é, tudo o que não é significado pelas três palavras precedentes.[227]

O *dizível* é o *lekton* estóico. O *verbum* é externo, e em geral é chamado *vox verbis* ou até *vox*; ou interno, e é então o *verbum mentis*. Esse verbo mental tem um status ambíguo em Agostinho: ele designa ora o simples pensamento que acompanha as palavras, ora uma autêntica linguagem mental. Nesse último caso, ele é sempre concebido, ao que parece, de maneira não-proposicional. De fato, não há texto em que ao verbo mental seja aplicada uma análise categorial ou proposicional. A razão disso é que o verbo mental, que é também o verbo do coração, *verbum cordis*, designa o conhecimento amoroso, o conhecimento que é amor:

O verbo (...) é o conhecimento misturado ao amor. É por isso que, quando a alma se conhece e se ama, o seu verbo está unido a ela pelo amor. E já que ela ama o conhecimento e conhece o amor, o verbo está no amor e o amor está no verbo, e ambos estão na alma que ama e diz o seu verbo.[228]

Essa doutrina do verbo mental é inseparável do seu contexto teológico — ela é solidária dos dogmas da criação (o verbo criador), da encarnação (as duas naturezas do verbo) e da trindade (a geração do verbo) — mas ela teve, no entanto, uma influência específica na semântica. Assim como um agostinismo teológico determinou toda uma série de pensadores em função de sua atitude diante das soluções de Agostinho sobre a graça, um agostinismo semântico determinou um grande número de filósofos que refletiram sobre a linguagem, em função de sua atitude diante dessa combinação de empirismo e intuicionismo que caracteriza o pensamento de Agostinho sobre a linguagem.

**Boécio** (480-524), criado no Egito e discípulo de Ammonius,[229] foi o último latino capaz de ler no texto e compreender Aristóteles e Platão. Longos séculos passarão até que isso aconteça de novo, pelo menos até Scot Erígena. Ele foi "o último romano, o primeiro escolástico" (Monsenhor Grabmann).[230] "Através de Porfírio, discípulo preferido e sucessor de Plotino, através de Syrianus o Grande e Ammonius, um mestre e outro discípulo de Proclo, Boécio é ao mesmo tempo herdeiro das escolas de Roma, Atenas e Alexandria."[231]

Sua obra de tradutor é imensa pela amplitude (a maior parte do *Organon*),[232] mas principalmente capital, pelo fato de ter fixado o vocabulário lógico, teológico e ontológico (por exemplo: definições da substância, da forma...). Seus comentários (principalmente sobre o *Isagoge* de Porfírio, as *Categorias*, o *De Interpretatione*) tiveram uma imensa influência. Até falou-se de uma "Idade Média boeciana", precedendo uma Idade Média aristotélica, de 1100 a 1150.[233] Seus comentários apresentaram os termos da querela dos Universais do século XII.

A semântica boeciana[234] comporta vários traços originais. Primeiro, a sua interpretação da doutrina aristotélica da relação entre as palavras, os conceitos e as coisas, tal como é exposta brevemente no *De Interpretatione*, o leva a afirmar que as palavras significam os conceitos e não as coisas:

Embora as palavras sejam nomes das coisas, nós utilizamos as palavras não em vista de significar as coisas, mas de significar essas modificações mentais que são causadas em nós pelas coisas. Por conseguinte, já que as palavras são utilizadas para significar essas entidades, ele [Aristóteles] tem razão de dizer que elas são principalmente os signos (*notae*)[235] dessas entidades.[236]

Essa interpretação de Aristóteles teve uma importância capital no desenvolvimento posterior da semântica: ela produziu a concepção ideacional da significação, definida pela necessidade de uma mediação pela idéia: uma palavra não significaria em virtude da sua referência à coisa que ela denota, mas em virtude da expressão da idéia representando a coisa. Entre os medievais, particularmente, essa doutrina do conceito como signo será retomada.[237] Mas essa concepção, quando acoplada a uma distinção dos três tipos de linguagem, também produziu uma concepção da língua mental:

Entre os peripatéticos, diz-se que há três discursos: um escrito com letras, outro proferido na palavra, o terceiro no espírito. Logo, se há três discursos, as partes do discurso são incontestavelmente de três naturezas: já que o nome e o verbo são as partes principais do discurso, haverá nomes e verbos que são escritos, outros que são proferidos, e enfim outros que são silenciosos e empregados pelo espírito.[238]

Temos aqui, a partir de Aristóteles, uma retomada do tema do verbo mental, cuja importância vimos em um contexto teológico, em Santo Agostinho. Encontraremos em Santo Anselmo essa tricotomia. Essa linguagem mental compreende, para Boécio, nomes e verbos; ela tem pois, para Boécio, uma estrutura proposicional.

A distinção entre nomes de primeira e de segunda posição tem a sua origem também em Boécio.[239] Chama-se "nome de primeira posição" um nome considerado do ponto de vista da sua significação, e "nome de segunda posição" um nome considerado do ponto de vista da sua forma. No enunciado (1) "homem" é um nome de primeira, e em (2) de segunda posição:

(1) O homem corre

(2) "Homem" é singular

Essa distinção é importante, pois permite evitar certos sofismas, tais como:

Homem é uma palavra de duas sílabas. O homem corre. Logo, uma palavra de duas sílabas corre.

A distinção primeira/segunda posição será desenvolvida nas teorias medievais da imposição e será formalizada na semântica de Tarski sob o nome da distinção entre linguagem e metalinguagem: não será suficiente distinguir dois níveis de significação para as palavras, mas também as próprias linguagens os terão. Uma linguagem será definida como uma seqüência de expressões referindo-se a objetos, e uma metalinguagem como uma linguagem referindo-se a uma linguagem: a lógica das proposições é uma linguagem que se refere a objetos (as proposições) e toda descrição dessa lógica será uma metalinguagem dessa linguagem.

Enfim, Boécio está na origem de uma análise lógica da linguagem teológica[240] na medida em que, esforçando-se para aplicar os conceitos do *Organon*, lançou os alicerces ou formulou os primeiros princípios de uma aplicação de certas distinções semânticas à teologia — principalmente trinitária — que os teólogos do século XIII organizaram em um complexo de problemas e doutrinas autônomos.

# A IDADE MÉDIA

Não fazemos obra de historiador da gramática ou da lógica.[1] É certamente abordando a Idade Média que a dificuldade de separar filosofia da linguagem, lógica e gramática será maior. Mas essa dificuldade será também uma fonte de simplificação: privilegiaremos os autores nos quais uma autêntica reflexão filosófica sobre a linguagem vem impor uma visão original. Não é por acaso que, nesse domínio, os nomes de Anselmo, Abelardo e Occam são os únicos a se destacarem. É porque eles representam o que a filosofia da linguagem na Idade Média tem de mais original, e, ousamos dizer, de mais profundo. O estudo dos textos gramaticais ou lógicos, por necessário que ele seja, muitas vezes conduz apenas a uma análise do léxico intelectual, tarefa útil e importante, mas que não se confunde, de modo algum, com uma história filosófica das concepções da linguagem.

O período chamado "Idade Média", que vai, aproximadamente, de 500 a 1500, não tem unidade historiográfica. Ele designa uma idade média, isto é, intermediária entre a Antigüidade e os Tempos Modernos, dos quais ela é separada por cesuras problemáticas: a Antigüidade tardia e "o fim da Idade Média" ou "o início dos Tempos Modernos". Período de quase mil anos, não pode ter esse caráter monolítico que lhe é atribuído, em um lapso de tempo tão longo.[2] As características que lhe são atribuídas habitualmente devem ser olhadas com cuidado, pois projetam-se sobre esse período esquemas ideológicos de decadência, de barbárie, ou pelo contrário, de tradição, de unidade quase miraculosa da fé cristã e da razão etc.

A Idade Média deu uma definição da filosofia de pleno acordo com as concepções antigas:

A filosofia é a descrição de tudo o que é (*universi esse*).no espírito, cujo conhecimento nesta vida é a glória mais alta, enquanto a conduta de acordo com essa idéia significa a esperança de uma beatitude eterna na outra vida. (Anônimo)[3]

A filosofia é o amor, o desejo, e como que a amizade pela sabedoria, não essa sabedoria que se situa no uso dos instrumentos como se fosse uma habilidade ou uma competência de artesão, mas a sabedoria que, não tendo necessidade de nada, é um espírito vivo e a única razão primordial das coisas. (Hugues de Saint Victor)[4]

A filosofia é a arte das artes, a disciplina das disciplinas. (Isidoro de Sevilha)[5]

Se há continuidade na definição da filosofia da Antigüidade na Idade Média, além disso há continuidade na ambição e no campo da filosofia. Se alguns teólogos pensaram o papel da filosofia como simplesmente auxiliar, é certo que os filósofos medievais não a entenderam dessa maneira, e que eles sempre conseguiram manter a autonomia da filosofia, talvez melhor em relação à Igreja do que em relação ao Estado, cuja filosofia se tornou funcionária e às vezes serva.

A continuidade com a Antigüidade se assinala enfim pelo fato de que a divisão ciceroniana em sete artes liberais se manteve e o trivium — gramática, lógica, retórica — que formava a armadura do ensino universitário constitui uma divisão, uma articulação do saber válida praticamente do século II ao século XVII. É nesse trivium que devemos procurar uma parte das idéias medievais sobre a linguagem, mas apenas uma parte. A continuidade se manteve também pelos incansáveis comentários do *Organon*. Certas questões — o arbitrário do signo, a expressão lingüística dos pensamentos, a definição da verdade — foram assim debatidas em termos vizinhos em um período que vai dos comentaristas alexandrinos aos confins da Idade Média! Entretanto, quem diz comentário, no sentido medieval, não diz abdicação da originalidade: o comentarista medieval procura soluções freqüentemente muito originais para as dificuldades que o texto apresenta.

## 1. Anselmo de Canterbury

Anselmo de Canterbury (1033-1109) não assinala o início da filosofia medieval — essa honra caberia, de preferência, a Scot Erígena (810 ?) —, mas ele foi o primeiro a desenvolver, a partir de Boécio, opiniões originais sobre a linguagem. Essas opiniões só são desenvolvidas de modo completamente sistemático e acabado quando se trata de um problema que pode parecer muito restrito, o dos parônimos, mas a discussão de Anselmo empenha, de fato, toda uma filosofia da gramática, e de suas relações com a ontologia das propriedades. O *De grammatico* é uma obra breve, composta sob a forma de diálogo, e que constitui uma iniciação à dialética. Lembraremos a importância dos parônimos, depois exporemos a solução de Anselmo.

Nas *Categorias*, Aristóteles distingue vários tipos de relações semânticas:

> Chamam-se homônimos as coisas das quais apenas o nome é comum, ao passo que a noção designada por esse nome é diversa. (...) Por outro lado, sinônimo é aquilo que tem, ao mesmo tempo, comunidade de nome e identidade de noção. (...) Enfim, chamam-se parônimos as coisas que, diferindo de uma outra pelo "caso"[6], recebem sua apelação segundo o seu nome: assim de gramática vem gramático, e de coragem [homem] corajoso.[7]

Boécio[8] deu uma interpretação platônica da paronímia:[9] se A é um parônimo de B, então A participa da essência (ou da idéia, ou da forma) de B. Por exemplo, se "gramático" é um parônimo de "gramática", então gramático participa da essência, da idéia ou da forma da gramática. Da mesma forma, aquilo que é branco participaria da brancura, pois "branco" é um parônimo de "brancura". Na concepção boeciana dos parônimos existe pois uma participação no nome, mas também uma participação na própria coisa: "branco" participa do nome "brancura", e o que é branco participa da brancura:

> (...) os antigos chamavam "caso" a certas alterações efetuadas em nomes, como de "justiça" derivamos "justo", de "força", "forte" etc. (...) Daí, cada vez que uma coisa participa de outra, essa participação é dada no nome tanto quanto na coisa, como quando a participação de um homem na justiça tem como efeito que ele seja chamado "justo", o nome refletindo então o estado de coisas. Logo, esses nomes são chamados parônimos (*denominativa*), e diferem de seu radical unicamente por alteração. (...) Três coisas são pois necessárias para constituir a paronímia: primeiro a participação na coisa, em segundo lugar no nome, e enfim uma certa alteração do nome. Por exemplo, quando alguém é chamado forte em razão de sua força, temos uma certa participação na força por parte do forte, tanto quanto uma participação no nome, e há também uma alteração do tipo previsto, pois "força" e "forte" não acabam na mesma sílaba.[10]

A relação de paronímia é, portanto, a expressão de uma participação.[11] Anselmo conservará essa orientação platônica.

O problema apresentado por Anselmo é saber se "*grammaticus*" (gramático) é (denota) uma substância ou uma qualidade. Argumento pela substância: o gramático é um homem, ora, "homem" denota uma substância. Argumento pela qualidade: "gramático" denota a qualidade de possuir a ciência gramatical para um homem.[12] A solução anselmiana é afirmar que "*grammaticus*" designa uma substância *per aliud* e uma qualidade *per se*. Essa distinção da significação por si (*per se*) e por outra coisa (*per aliud*) recobre, de modo geral, a distinção entre significação que traz uma precisão e significação imprópria. O homem não tem como essência ser gramático: "gramático" não pode, pois, predicá-lo *per se*. Como mostrou J. Jolivet, o sentido profundo da solução anselmiana é cindir significação e apelação:

> Assim "gramático" significa "gramática", mas não se pode dá-lo como atributo ao que ele significa; simetricamente, ele pode ser atribuído a "homem" sem significá-lo. Em suma, ele significa aquilo de que ele não é apelativo, ele é apelativo daquilo que ele não significa.[13]

Essa última frase é um eco de Anselmo:

> Mestre: Vês como branco não é significativo do que ele significa de algum modo, e como ele é apelativo daquilo do que ele não é significativo.
>
> Discípulo: Também vejo isso. Ele significa, de fato, o cavalo, e não o significa por si, mas por outra coisa, e entretanto o cavalo é chamado branco. E o que vejo no caso de "branco", eu o compreendo no caso de "gramático" e nos denominativos semelhantes. A partir de então, a significação dos nomes e dos verbos pode ser dividida assim: há uma significação por si e uma significação por outra coisa.[14]

A apelação (*appellatio*) é a relação pela qual um nome chama uma realidade, enquanto a significação veicula o conceito (*intellectus*), na definição associada a um nome. "Gramático" chama, ou é apelativo dos seus referentes,[15] e significa o conceito de gramático. Os lógicos medievais tentaram distinguir e unir, em uma semântica dos termos, a apelação, a significação e a imposição (*impositio*) ou denotação.

Anselmo propôs também um esboço de análise das frases de ação[16] que antecipa de modo surpreendente a lingüística e a filosofia da linguagem contemporâneas.[17] Anselmo levanta a hipótese de que "fazer" (*facere*) pode substituir qualquer verbo. Estabelece uma combinação de quatro formas elementares ou esquemas de ação:

fazer ser (*facere esse*)
não fazer ser
(*non facere esse*)

fazer não ser (*facere non esse*)
não fazer não ser
(*non facere non esse*)

Essa combinatória tem a mesma estrutura que o quadrado das modais aristotélicas no quadrado dito de Boécio (com poder [*posse*] em lugar de *facere*). Em certo sentido, Anselmo fundou a lógica da ação, com, por exemplo, a distinção capital entre cometer uma ação e omitir uma ação,[18] distinção sobre o fundo de uma abordagem unificada da omissão e da comissão. Além disso, forneceu uma série de regras para passar de expressões de ações simples a complexas.[19]

Em outros pontos, Anselmo é mais tradicional, inscrevendo-se na descendência agostino-boeciana, a propósito da linguagem mental:

(...) podemos falar das coisas segundo três modos. Efetivamente, falamos das coisas ou por sinais sensíveis, isto é, usando sensivelmente daquilo que os sentidos corporais podem sentir, ou pensando insensivelmente no interior de nós mesmos esses mesmos sinais, que são exteriormente sensíveis, ou sem usar nem sensível nem insensivelmente esses sinais, lendo em nosso espírito as próprias coisas em sua diversidade, seja pela imaginação corporal, seja pela inteligência racional. Quando digo "homem", digo de outra forma quando eu o significo por esse nome: "homem"; de outra forma, quando me calo e penso esse nome; de outra forma quando meu espírito vê esse mesmo homem por imagem corporal ou por razão: por imagem do corpo quando imagino sua figura sensível e por razão quando penso sua essência universal, a saber: "animal racional mortal".[20]

Há pois, segundo Anselmo, três modos diferentes de falar de uma (mesma) coisa: primeiro, os signos sensíveis, depois a palavra interiorizada insensível, duplo interno dos signos sensíveis, enfim a dicção mental das coisas, nem sensível nem insensível, que é de dois tipos: imagem e definição.

A idéia boeciana de um intermediário conceitual é modificada. Aqui, é o momento semiótico que pode ser evitado. O intelecto tem então acesso à própria coisa, seja por sua imagem, seja por sua definição. A linguagem mental não é pois, ao que parece, proposicional, mas definicional (se se admitir que a imagem é uma definição imediata da coisa, que indica suas propriedades genéricas).[21]

Essa linguagem mental é obra da fina ponta do intelecto:

Exceto as coisas de que nos servimos como de nomes para significá-las, sons, por exemplo, como a vogal "a", exceto elas, digo, nenhum outro verbo parece tão semelhante àquilo de que ele é o verbo, ou não o exprime tanto quanto essa semelhança expressa na fina ponta do espírito (*acie mentis*)[22] pensando a própria coisa. Com razão, deve-se dizê-la verbo mais próprio — e principal — da coisa.[23]

A expressão "fina ponta do espírito" é de origem agostiniana;[24] designa o ápice das capacidades noéticas humanas, ali onde o dianoético dá lugar à intuição contemplativa e prepara a fruição, isto é, a posse do objeto. A própria coisa é pois pensada graças ao verbo mental.

Anselmo deu uma outra contribuição à semântica: a distinção entre a retidão e a verdade. Sabe-se que, se a semântica é uma ciência da interpretação, então a noção de verdade tem nela um lugar central. Sabe-se também que o problema dos falsos enunciados se apresenta imediatamente: se a significação supõe a verdade, como explicar a existência do falso no discurso — já que os enunciados falsos têm realmente uma significação, apesar de tudo? A solução de Anselmo é distinguir uma orientação básica da linguagem para o verdadeiro, para a retidão, de uma propriedade dos enunciados, a verdade. A retidão é a linguagem significando o que deve significar. Se a linguagem significa que o que não é é (nisso consiste o falso), é porque ela recebeu a capacidade de significá-lo, porque ela deve significá-lo. Essa retidão fundamental deve ser, pois, distinguida da verdade de um enunciado, que consiste em que a linguagem diga que o que é é, e que o que não é não é. O poder de dizer o falso está envolvido na retidão: a linguagem pode dizer o falso, porque recebeu o poder de dizê-lo. Mas esse dizer o falso também está envolvido na verdade: ele só pode aparecer como falso na medida em que a norma de verdade é interna à linguagem (senão, onde estaria o critério?). Essa estrutura pode ser comparada à do eudemonismo racional. De fato, segundo essa doutrina, eu não posso querer o mal; só posso querer um bem. Se quero um mal, só posso querê-lo como um bem. Há uma retidão fundamental da vontade: posso fazer e querer o mal, mas fazendo-o e querendo-o como um bem; não posso desviar a retidão da vontade:

> (...) mesmo quando a linguagem significa o que é que não é, ela significa aquilo que deve. Pois ela recebeu igualmente o poder de significar o que é que é e o que não é. Se não tivesse recebido o poder de significar também o que não é, não o significaria. Assim, mesmo quando significa o que é que não é, significa o que deve. E se é significando o que deve que ela é reta e verdadeira, (...) a linguagem é verdadeira mesmo quando enuncia o que é que não é.[25]

A linguagem é verdadeira quando enuncia o que é que não é, mas um enunciado é falso quando diz o que é que não é. É preciso pois distinguir, quanto à linguagem, de um lado o que ela recebeu o poder de significar, e de outro lado aquilo em vista de que ela foi feita. No caso de um enunciado falso, a linguagem significa segundo o que ela recebeu o poder de significar (ela recebeu o poder de significar o falso; ela deve significá-lo), mas ela não significa aquilo em vista de que ela foi feita: manifestar aquilo que é verdadeiro. O que se chama retidão, é o que ela significa sempre, precisamente o que ela recebeu o poder de significar. Poder-se-ia detectar, por essa concepção da retidão, uma filiação secreta, que iria do *Sofista* a Wittgenstein passando por Anselmo, filiação cujo motivo seria uma correção global da linguagem, mesmo e principalmente talvez em sua capacidade de dizer o falso.

Anselmo desenvolveu em certos pontos, principalmente o verbo mental, a herança agostiniana; em outros, principalmente por sua distinção da significação e da apelação, e sua doutrina da retidão, ele anuncia ao mesmo tempo a gramática especulativa e as especulações semânticas posteriores.

## 2. Abelardo

Abelardo (1079-1142) introduziu na filosofia medieval da linguagem a discussão de um problema e uma terminologia: o problema dos Universais e a terminologia do dictum proposicional. Como mostrou Jolivet,[26] o objetivo de Abelardo é construir uma "teoria da significação", uma "ciência unificada da linguagem", que possa "reunir em um todo gramática e dialética", mas, como o mesmo Jolivet assinala, "essa ciência é mais praticada do que refletida". A contribuição abelardiana seria pois "ter fundido em um só corpo as duas artes [dialética e gramática], que ele recebera separadas". Essa fusão foi possível pelo fato de que ele definia a dialética, isto é, a lógica, como uma ciência do discurso, *ars sermocinalis*.[27]

A teoria da significação de Abelardo[28] se inscreve na linhagem da interpretação por Boécio do *De Interpretatione*, principalmente da interpretação de 16 a 2 s. — sobre as relações palavras, signos, afeições, coisas:[29] as palavras significam primeiro as intelecções (e não primeiro as coisas). Um argumento abelardiano é que, para um nome e um verbo, como "a corrida" e "corre", é a intelecção que muda.[30] Além disso, as intelecções sobrevivem às coisas: no inverno, o conceito de lírio não desaparece. Enfim, para que a lógica seja possível, é preciso que as proposições sejam possíveis, tenham um objeto e possam ser formadas. Tudo isso, segundo Abelardo, exige que as palavras signifiquem as intelecções, e reduziria a linguagem a uma seqüência de substantivos inertes, se as palavras significassem diretamente as coisas.

A palavra significa pois a intelecção. Pode-se entender isso em dois sentidos: ou a palavra manifesta uma intelecção, ou ela a gera.[31] Ou a palavra exprime o pensamento do locutor, ou ela produz um pensamento no espírito do ouvinte.[32] Abelardo prefere a segunda acepção: "significar é constituir uma intelecção".[33] Essas duas acepções de "significar" pertencem, respectivamente, em termos modernos, à semântica (*exprimere*) e à pragmática (*constituere*), na medida em que a primeira, a expressiva, está centrada no locutor e a segunda no ouvinte, ou mais exatamente na relação locutor-ouvinte. Entretanto, as palavras significam também as coisas (*via* as intelecções):

> [as proposições] se ocupam das coisas... fazem nascer certas intelecções. Quando dizemos "o homem corre", tratamos do homem, da corrida, que são coisas. Juntamos a "corrida" ao "homem", mas não casamos as suas intelecções; não dizemos nada das intelecções, nós as constituímos no espírito do ouvinte, tratando apenas das coisas.[34]

A propósito de Aristóteles, discutimos a questão de saber se a ligação está nas coisas ou nas idéias; Abelardo se pronuncia por uma ligação nas próprias coisas. Em outros textos, Abelardo escapa à impressão de incoerência que podem dar esses dois sentidos de "significar", distinguindo nitidamente entre "significar" (*significatio*) e "nomear" (*nominatio*) ou "chamar" (*appelatio*): as palavras significariam as intelecções, isto é, as propriedades das coisas, e nomeariam as próprias coisas.[35]

Se Abelardo está com Aristóteles em vários pontos importantes, isso não o impede de criticar certas teses centrais da semântica aristotélica,[36] como por exemplo a oposição do nome e do verbo. Aristóteles os opunha relativamente ao tempo (o verbo o consignifica e não o nome). Abelardo observa que essa oposição não é pertinente:

> Exatamente da mesma maneira que "corre" ou "correndo" (*currens*) indica a corrida em relação com uma pessoa, como lhe pertencendo presente-

mente, assim também "branco" (*album*)[37] determina a brancura em relação com uma substância à qual ela é inerente (*inaherentem*) de modo que ela seja chamada branca unicamente por causa da sua brancura presente.[38]

Em que consistiria então a especificidade do verbo, a não ser em sua referência temporal, contida, segundo Abelardo, em toda predicação? A resposta de Abelardo é: a completitude do sentido (*sensus perfectio*), traço próprio às frases completas, por oposição às incompletas. A diferença entre, por exemplo, "um homem corre" e "um homem correndo" é a seguinte:

> Uma completitude do sentido (*sensus perfectio*) não foi introduzida nelas [as do tipo "um homem correndo"]; pois quando essa expressão é enunciada, o espírito do ouvinte fica suspenso e deseja ouvir mais, para chegar à completitude do sentido, por exemplo, "é" ou um outro verbo que convenha, pois sem verbo não há completitude do sentido.[39]

Abelardo considera aqui as coisas ao contrário dos estóicos. Conhecemos o exemplo, citado por Diógenes Laércio, de completitude do enunciado: se temos "escreve", um predicado, então é necessário um nome, por exemplo "Sócrates escreve": os estóicos, de modo mais moderno, consideram o verbo (ou o predicado) como incompleto, insaturado, e devendo ser completado para obter uma proposição, enquanto Abelardo afirma que só o verbo completa, no sentido em que só o nome é incompleto. Abelardo atribui pois ao verbo uma função central, escolhendo-o como primitivo:

> Vemos assim que essa completitude do sentido depende principalmente dos verbos, pois é apenas por eles que a inerência de alguma coisa em alguma coisa é indicada, de um modo que exprime diferentes estados mentais (*affectus animi*), sem sua inerência não há completitude do sentido.[40]

A análise da significação da frase produz um conceito importante: o de *dictum propositionis*.[41] Uma proposição se compõe pelo menos de um nome e de um verbo, mas não há correspondência entre essa combinação do nome e do verbo e uma combinação qualquer na realidade — é por isso que será preciso um *dictum propositionis*, intermediário entre a proposição e a realidade física:

> A proposição se compõe materialmente de um nome e de um verbo; do mesmo modo, a intelecção correspondente é formada pela ligação das intelecções das suas partes. Mas o que corresponde, no real, à proposição, não tendo nenhuma coisa como fundamento, não se compõe do que corresponde no real às palavras.[42]

Pode-se pois estabelecer uma correspondência qualquer e... trita entre a proposição e as coisas. Há uma relação das palavras com as coisas, via intelecções das coisas, há realmente uma composição das intelecções das coisas na intelecção da significação da proposição, mas isso não implica, para Abelardo, que o real da proposição possa ser obtido simplesmente por composição do real das palavras, simplesmente porque a proposição certamente significa coisas, mas coisas ligadas em um estado de coisas.

A análise da significação das proposições[43] infinitivas, igualmente nas frases modais, permite apreender o que é um *dictum propositionis*.[44] Sejam as frases:

*Evenit Socratem legere librum*. (Acontece Sócrates-ler-um livro, isto é, é o caso que Sócrates leia um livro)[45]

*Socratem curere possibile est*. (Sócrates-correr é possível, isto é, é possível que Sócrates corra)

*"Socratem legere librum"*, *"Socratem curere"* são, cada um, um *dictum propositionis*. O primeiro desses *dicta* é um quase-nome (*quasi nomen*) da proposição *"Socrates legit librum"*, e o segundo de *"Socrates currit"*.[46] Nessas frases, diz-se que é verdade, que é o caso ou que é possível que Sócrates leia um livro ou corra.[47] Em francês, teríamos a forma: "Que Socrate lise un livre est vrai",* e da mesma forma para as outras frases. Mas o que ali é sujeito gramatical, não é, em nada, objeto ontológico: não há nada que corresponda ontologicamente a um objeto ou a uma coisa significados pela proposição.

Jolivet declara a respeito do *dictum propositionis*:

> O que uma proposição exprime não é uma coisa; é um objeto, mas não um ser; falaremos disso como de *quasi res* (...) isso é "rigorosamente nada", "absolutamente coisa alguma", *nulla omnino alia res*, não é uma "coisa existente" — *essentia*. Se uma proposição designasse uma coisa, seria necessário que ela fosse um nome.[48]

O que é um *dictum propositionis*, se ele é "quase nada" e não é "absolutamente uma coisa"? Já se comparou esse conceito com o *lekton* estóico, do *complexe significabile* da semântica do século XIV, do *Sachverhalt* husserliano e do *state of affairs* russelliano. As comparações são tanto ou mais ontológicas que semânticas: por exemplo, o *lekton* de um ponto de vista semântico difere

---

* Literalmente: "Que Sócrates leia um livro é verdade." (N.T.)

completamente do *dictum propositionis*, na medida em que pode ser o expresso, por exemplo, de um nome próprio,[49] mas ele lhe é quase idêntico de um ponto de vista ontológico, já que é o conceito de sub-sistência que permite pensar nos dois casos essa "inexistência do significado" (Jolivet). O significado de uma proposição é mais do que um "conjunto",[50] é um todo estruturado — um conjunto não é, em sentido próprio, estruturado. Mas esse todo estruturado não é uma coisa (ou uma coleção de coisas). O significado de "*Socratem esse homo*" não é um ente, é um objeto ideal. O que se oporia a essa opinião seria uma versão da rotulagem semântica: um nome designando uma coisa, um verbo um processo e uma composição fazendo com que uma predicação (nome + verbo) designasse o que acontecia com a coisa. Mas é precisamente "o que acontece com a coisa" que, segundo aqueles que introduzem um intermediário entre signo e realidade, proposições e coisas, não é possível de obter por cálculo ou combinação das referências a coisas particulares por elementos da proposição. *Socratem* designa (ou chama) Sócrates, *homo* designa (ou chama) a propriedade de ser homem, *esse* designa a operação de inerência da propriedade no sujeito, mas *Socratem esse homo* não designa nem chama uma realidade concreta, mas significa o que é dito pela proposição. A vantagem dessa maneira de ver é que na frase *Socrates currere falsum est* (é falso que Sócrates corra), "*Socrates currere*" pode continuar a receber um sentido, mesmo que, na realidade, Sócrates não corra. Seria a mesma coisa para uma frase modal como "*Socrates currere possibile est*": mesmo que na realidade Sócrates não corra (enquanto não é impossível que ele corra), essa proposição tem uma significação.

Há uma ambigüidade do conceito de *dictum propositionis* em Abelardo: em certos textos, ele designa a *oratio infinitiva* e conseqüentemente a expressão lingüística do que é dito na proposição, e em outros textos o sentido da coisa expressa, o estado de coisas. Aqui, escolhemos o primeiro desses dois sentidos, para não sobrecarregar esta exposição.

A procura das condições de verdade das proposições modais conduziu Abelardo a distinguir duas leituras dessas proposições: o sentido dividido (*per divisionem*), ou modalidade *de re* (referindo-se à coisa), e o sentido composto (*per compositionem*), ou modalidade *de dicto* (referindo-se ao *dictum*). Um texto atribuído a São Tomás de Aquino distingue bem esses dois sentidos:

Certas proposições modais se referem ao *dictum*, outras coisas.

Uma proposição modal referente ao dictum é aquela na qual o dictum inteiro é sujeito e o modo predicado, por exemplo: "Que Sócrates corra é possível." Uma proposição modal referente às coisas é aquela na qual o modo interrompe o dictum, por exemplo: "Para Sócrates, correr é possível." (*Socratem possibile est currere*.)[51]

Compreende-se por que o sentido *de re* é dito "dividido", pois o modo interrompe o dictum:

SOCRATEM possibile est CURRERE
DICTUM modus DICTUM

Essa distinção dos sentidos *de re* e *de dicto*, que é principalmente lingüística levou a dois tipos de desenvolvimento: de um lado, sobre o sentido primitivo da modalidade — *de re* ou *de dicto* — e de outro lado sobre as relações de conseqüência entre os dois tipos de modais; uma *de dicto* implicaria uma *de re*, e vice-versa?

Abelardo foi identificado com o nascimento do nominalismo. Não nos cabe fazer aqui o histórico dessa corrente,[52] mas simplesmente sublinhar o que, no nominalismo abelardiano, é importante para a sua análise lógica e ontológica da linguagem. Primeira observação: há, pelo menos, dois nominalismos, um do século XII, atribuído correntemente a Abelardo,[53] outro do século XIV, atribuído a Occam — enquanto que se trata, para o último, de uma verdadeira corrente, apresentando posições internas muito diferentes. Segunda observação: não há, em matéria de nominalismo, duas posições claramente definidas, mas, pelo menos,[54] três posições rivais: o nominalismo, o conceitualismo e o realismo. Terceira observação: a definição habitual da querela dos universais, sobre os quais se dividem ou se dividiriam realistas, nominalistas e conceitualistas é completamente redutora. Não se deve assimilar a querela do nominalismo à querela dos universais, à disputa sobre a existência externa ao espírito dos gêneros e das espécies. A significação do debate se aprofundou e a definição do seu tema se deslocou do século XII ao século XIV. Enfim, quarta observação: vê-se que seria perigoso querer compreender o nominalismo medieval a partir do nominalismo moderno.[55]

Na sua versão forte,[56] o realismo afirma que os indivíduos não diferem por sua essência, que eles possuem em comum, mas por seus acidentes: Sócrates diferiria de Platão não por sua essência, mas por exemplo por sua estatura (se ele é menor ou maior do que Platão). Sua essência, a humanidade, seria comum a ele e a Platão. Além do mais, os universais estariam presentes a cada vez, inteiros, aos indivíduos que caíssem sob eles. O universal "homem" (que é um gênero) estaria completamente presente a Sócrates *e* a Platão. Além do mais, os universais podem então ser concebidos como exemplares das coisas: Platão é concebido então como uma realização do exemplar "homem".

O ponto de partida de uma compreensão do nominalismo de Abelardo é a sua interpretação desse trecho do *Isagoge* de Porfírio:

> No que se refere aos gêneros e às espécies, a questão de saber se são realidades subsistentes em si mesmas, ou somente simples concepções do espírito, e, admitindo-se que sejam realidades substanciais, se eles são corporais ou incorporais, se enfim eles são separados ou se só subsistem nas coisas sensíveis e segundo elas, evitarei falar: esse é um problema muito profundo e que exige uma pesquisa completamente diferente e mais extensa.[57]

Porfírio formula pois três perguntas: 1) os universais são entidades independentes do espírito? 2) se são entidades independentes, são materiais ou não? 3) os universais são separados das coisas?[58] Abelardo[59] acrescenta mais perguntas: 4) o que torna possível impor os mesmos nomes universais a coisas diversas? 5) qual é a intelecção que corresponde aos nomes universais? 6) o universal conserva alguma validade, se as coisas que ele nomeia são destruídas? 7) os universais são coisas ou palavras?[60] Todas essas perguntas giram pois em torno de uma interrogação sobre a possibilidade de nomear o universal e sobre a natureza dos meios lingüísticos e conceituais que tornam possível uma tal nomeação.

A tese central de Abelardo difere da de Occam: este afirma radicalmente a primazia ontológica do particular,[61] enquanto Abelardo nega completamente que o universal seja uma coisa. O argumento de Abelardo é simples: uma coisa não pode ser predicado; o universal é predicado; logo, o universal não pode ser uma coisa: "Uma coisa não se predica com uma coisa." (*Res de re non praedicatur*.) A conclusão de Abelardo é que os universais são nomes (*nominalia*):

> É preciso interrogar de que modo a definição do universal poderia ser aplicada às coisas; pois nenhuma coisa, nem nenhum conjunto de coisas (*collectio rerum*) parece ser predicado de uma pluralidade (de sujeitos) tomados um a um, o que (entretanto) a propriedade do universal exige.[62]

Chamamos o *status* do homem o seu ser homem (*esse hominem*), que não é uma coisa. Nós dizemos que nisso consiste a causa comum da aplicação do nome a singulares, na medida em que eles concordam uns com os outros.[63]

Jolivet[64] mostrou que o *status* divide com o *dictum* a qualidade de não ser uma coisa, e que ele é definido em relação a uma natureza, a um ser. O *status hominis* (o status do homem) é definido em relação à natureza humana e ao ser-homem. Mas a natureza não é uma coisa, como também não é o predicado. Pode-se observar que o *dictum* e o *status* são ambos expressos por infinitivos: o primeiro, como vimos, por *Socratem esse hominem* e o segundo, como acabamos de ver, por *esse hominem*. A substituição pelo *status* da espécie "reificada" (seguindo a expressão de Jolivet)[65] é paralela à do conjunto de coisas pelo *dictum propositionis*. Subsiste uma dupla ambigüidade à leitura dessa solução abelardiana, cuja audácia toda é deslocar para o terreno do lógico-gramatical um problema ontológico: por um lado, entre conceitualismo e nominalismo, por outro, sobre a interpretação dessas quase-coisas. Ora Abelardo (nas *Glossulae*) nega que o universal seja uma coisa e uma palavra — posição conceitualista —, ora escolhe, na alternativa coisa/palavra, o segundo termo. Por outro lado, essas quase-coisas, objetivas sem ser objetos, subsistentes sem ser existentes, têm um status que as aproxima das idéias platônicas. O *status* exprime a natureza, o ser, mas estes têm realmente um alicerce, e o que é ele, a não ser o entendimento de Deus? A posição de Abelardo é portanto intermediária entre um nominalismo moderado e um conceitualismo. Este é finalmente tão diferente de um platonismo que afirme que a natureza das coisas provém dos exemplares divinos? Só dois séculos depois, uma parte dessas ambigüidades será eliminada. Enquanto isso, a obra de Aristóteles, os comentários árabes terão penetrado no Ocidente latino, e uma lógica nova, *logica moderna*, terá sucedido à *logica antiqua*.

## 3. Semântica, lógica e gramática medievais

A lógica nos interessa na medida em que ela corresponde a uma definição de ciência do discurso (*scientia sermocinalis*) e não a uma ciência do intelecto (*scientia rationalis*). As duas definições se confrontaram na Idade Média. Abelardo contribuiu para que prevalecesse a primeira definição. A segunda, entretanto, vinda de Avicena, representou uma alternativa séria, no que diz respeito à metafísica da lógica, isto é, à interrogação sobre a natureza última da correção lógica.[66] Vimos acima que o intelectualismo boeciano tinha favorecido a tese de uma mediação pelos conceitos e essa tese podia muito bem se combinar com a do avicenismo. O triunfo da concepção sermocinalista não tinha, pois, nada de evidente. Reencontramos essa discussão atualmente com o debate sobre a natureza das operações lógicas, manipulações de conteúdos simbólicos, ou expressões de processos neuronais, em redes ou módulos.

A *logica moderna*[67] se compõe de duas partes distintas: as propriedades dos termos[68] e os *syncategoremata*. Seguiremos, como exposição clássica, as duas sínteses de Guilherme de Sherwood (c.1205 — c.1270): a *Introdução à lógica*[69] e os *Syncategoremata*,[70] assim como o tratado de Lambert d'Auxerre sobre *As propriedades dos termos*.[71] É na teoria medieval das propriedades dos termos que se encontra a antecipação mais clara das teorias modernas da referência e da significação. A teoria das suposições ocupa, desse ponto de vista, um lugar privilegiado.

As **propriedades dos termos** são, de fato, as relações semânticas fundamentais que estruturam o discurso em sua relação com um referente; elas são as seguintes: significação, suposição, copulação, apelação. A significação é relativa aos usos de uma palavra; a suposição recobre, em geral, a relação de referência para os substantivos; a copulação a mesma relação para os verbos; a apelação é relativa à relação de denotação.

Elas recebem as definições seguintes na *Introdução à lógica* de Guilherme de Sherwood[72] e Lambert d'Auxerre em sua *Lógica*:[73]

— SIGNIFICAÇÃO: Guilherme: "apresentação da forma de alguma coisa ao entendimento" (*presentatio alicuius forme ad intellectum*); Lambert:

"o (um) conceito de uma coisa, sobre o qual uma enunciação é imposta pela vontade da pessoa que institui o termo."[74]

— SUPOSIÇÃO: *ordinatio alicuius intellectus sub alio*, isto é, quando se põe o conceito[75] de uma coisa sob o conceito de uma outra coisa ou sob um outro conceito.

— COPULAÇÃO: *ordinatio alicuius intellectus supra alium* (Lambert), isto é, quando se põe o conceito de uma coisa sobre o conceito de uma outra coisa ou sobre um outro conceito.[76]

N.B. O sujeito supõe; o predicado copula.

— APELAÇÃO: "o fato de que um termo designe corretamente alguma coisa presente" (Guilherme)

A propósito da significação, Lambert d'Auxerre retoma a tese intelectualista boeciana:

> (...) quatro coisas são requeridas para que um enunciado seja significativo: uma coisa, um conceito da coisa, um enunciado e a união do enunciado com o conceito da coisa. O que chamamos coisa é algo existente fora da alma, que é apreendido pela alma por meio de uma idéia (da coisa) — por exemplo um homem ou uma pedra. (...) Um enunciado é primeiro — em si mesmo — e diretamente o signo de um conceito da coisa; mas, além disso, é indiretamente o signo da coisa. (...) Assim, já que um enunciado é um signo de um conceito, e um conceito é um signo de uma coisa, desse modo o enunciado é ao mesmo tempo um signo da coisa. Um enunciado que é o signo de um signo — isto é, de um conceito — será o signo da coisa significada — isto é, da coisa — ; entretanto, é diretamente o signo de um conceito e indiretamente o signo da coisa[77]

A teoria da suposição[78] é uma teoria da referência dos termos. A suposição se distingue da apelação[79] por, enquanto relação entre um termo e uma realidade, poder tomar como argumento uma realidade não-existente ou não-presente. Um termo chama uma realidade presente e existente (como em: "Este homem corre"), enquanto um termo pode supor para uma realidade não-existente, ou então futura ou passada (do mesmo modo que em: "Os homens que estão mortos estão em paz" — "homens" supõe mas não chama). A suposição se distingue da significação pelo fato de que esta é uma condição da suposição:

> A significação difere da suposição pelo fato de que a significação é primeira relativamente à suposição. Pois a significação é o conceito da coisa (*res*) representada por meio do enunciado, e antes da sua união com o enunciado não há termo; um termo é, antes, constituído pela união desse conceito de uma coisa com um enunciado. A suposição, por outro lado, é uma certa propriedade de um termo que foi constituído dessa maneira.[80]

Assim, estamos em presença de um processo semântico em duas etapas:

1) conceito da *res* + enunciado = enunciado significativo [SIGNIFICAÇÃO].

2) enunciado significativo + referência = enunciado referencial [SUPOSIÇÃO].

A apresentação ao espírito da coisa no e pelo conceito precede pois a suposição de uma realidade pelo termo. Essa apresentação é uma condição absolutamente necessária; a suposição é apenas uma propriedade. Existe uma segunda diferença: a significação é limitada à "coisa significada" pelo termo, enquanto a suposição se estende também aos *supposita* contidos sob a "coisa significada". Por exemplo, "homem" significa HOMEM, mas supõe, para Sócrates e Platão, que estejam compreendidos em HOMEM.[81] A suposição diz respeito, portanto, ao que é suposto sob o significado (e não sob a coisa): "... diz-se que a suposição é a acepção de um termo por si mesmo, por sua coisa significada, por algum *suppositum* contido sob a sua coisa significada, ou por mais de um *suppositum* contido sob a sua coisa significada."[82]

A classificação da suposição mais habitualmente utilizada é a de Pierre d'Espagne:[83]

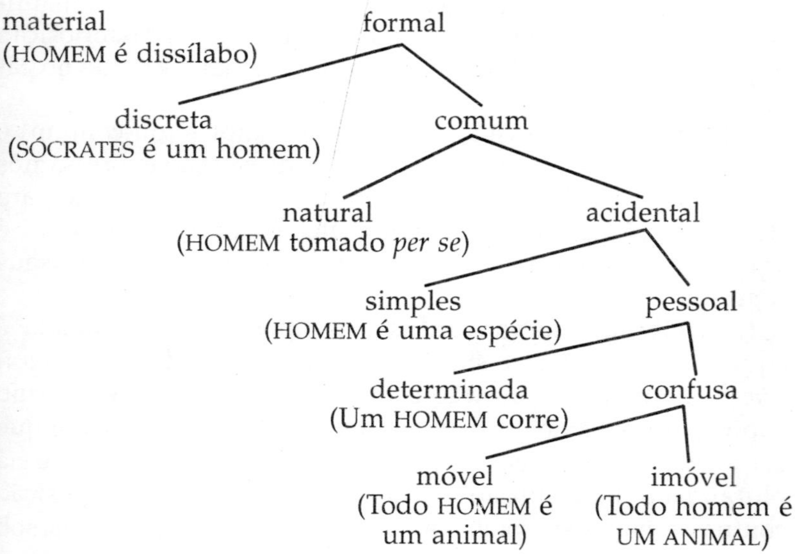


A teoria das suposições tem uma utilidade: desmascarar os sofismas. Por exemplo, o não-respeito da primeira distinção (material/formal) acarreta o sofisma: Paris é uma palavra; moro em Paris, logo moro em uma palavra.

Essa distinção é idêntica à distinção entre linguagem e metalinguagem, e a ignorância disso, segundo Tarski, gera, por exemplo, o paradoxo do mentiroso. Jacques Maritain enuncia, por exemplo, a regra seguinte (R), para afastar as conseqüências viciosas (CV):

(R) "Em toda conseqüência boa, o gênero de suposição não deve variar"

(CV) As categorias lógicas foram criadas por Aristóteles, ora, a quantidade é uma categoria lógica, logo a quantidade foi criada por Aristóteles.

Digamos algumas palavras sobre as diferentes distinções:

(a) **Natural vs. acidental**: a suposição natural de um termo é aquela que o termo tem por sua natureza, isto é, não junto a um outro (*per se sumptus* ou *de natura sua*);[84] a suposição acidental é aquela que um termo possui devido ao que lhe é acrescentado no enunciado (por exemplo, o tempo do verbo para um substantivo sujeito). Essa distinção está ligada à da referência fora do contexto e relativa ao contexto. De Rijk insistiu muito nessa oposição[85] e até afirma que a teoria da suposição sofre de uma grave limitação do lado do componente contextual da semântica: "A aliança da abordagem contextual com a pressuposição implícita da prioridade da *significatio* foi afinal o grande obstáculo para a lógica e a semântica medievais."[86]

(b) **Simples vs. pessoal**: a suposição simples (ou comum) é aquela do termo, fazendo-se abstração da relação expressa nos *supposita*. Em "O homem é uma espécie", "homem" supõe para HOMEM e não para Paulo, Pedro etc. A suposição pessoal é aquela em que um termo é interpretado relativamente aos seus *supposita*.

(c) **Determinada vs. confusa**: a suposição determinada é aquela em que o termo supõe para um ou mais de um *suppositum*,[87] enquanto a suposição confusa é aquela em que o termo supõe para mais de um termo. Lambert d'Auxerre explica que ela é chamada confusa porque há pluralidade, pois "onde há pluralidade, há confusão".[88] Não se deve confundir suposição confusa e universal, pois é a indeterminação que é visada sob a confusão, e não a universalidade. Certos lógicos admitiram uma suposição exceptiva, como em "Todo homem nasce no pecado", e logo, nesse caso, há realmente suposição confusa, mas não universal.

(d) **Móvel vs. imóvel**: a suposição móvel é distributiva — a suposição do predicado é distribuída sobre todos os *supposita* do termo sujeito. Por exemplo, em "Todo homem corre", o predicado "corre" é distribuído sobre todos os *supposita* do termo sujeito "homem", o que significa que, a respeito de todo homem, posso dizer que ele corre. A suposição imóvel é aquela em que não há referência distributiva. Por exemplo, em "Os apóstolos são doze", não se pode distribuir o predicado "ser doze" sobre cada um dos apóstolos. Uma mesma frase pode ser suscetível de duas leituras, segundo o termo seja tomado seguindo uma ou outra suposição, do mesmo nível. Por exemplo (i) pode ser suscetível de uma leitura móvel ou de uma leitura imóvel:

(i) Todo homem é um animal.

Segundo a leitura móvel, (i) significa que todo homem pode ser predicado como "animal", pois de todo homem se pode dizer que ele é um animal, já que a definição de "homem" é "animal racional"; segundo a leitura imóvel, não é possível distribuir "animal", pois "animal" não é compreendido por todos os seus *supposita*: (i) não significa que um homem possa ser por exemplo uma girafa. Não se pode "descer" até as espécies inferiores; só se pode predicar o gênero. A suposição é móvel quando se insiste em "homem" e imóvel quando se insiste em "um animal".[89]

Ao lado dessa teoria da referência, encontra-se na *logica modernorum* uma teoria da proposição que distingue sincategoremas e categoremas.

A definição clássica de Guilherme de Sherwood pode ser uma introdução aos **sincategoremas**:

Para compreender as proposições, devemos conhecer as suas partes, que são de dois tipos — primário e secundário. As partes primárias são os nomes substantivos[90] e os verbos; elas são necessárias para a compreensão da proposição. As partes secundárias são os nomes adjetivais, os advérbios, as conjunções e as preposições; elas não são essenciais para a constituição da proposição. Algumas das partes secundárias são determinações das primárias, com a referência às suas coisas (às quais elas referem), e essas partes não são *syncategoremata*; por exemplo, quando digo "homem branco", "branco" significa que uma das coisas, um homem, é branco. Outras são determinações das partes primárias, na medida em que elas são sujeitos ou predicados; por exemplo, quando digo "todo homem corre", "todo", que é um signo universal, não significa que uma das coisas, no caso um homem, é universal, mas que esse "homem" é um sujeito universal. Essas partes são chamadas "*syncategoremata*".[91]

A origem longínqua da distinção entre sincategoremática e categoremática se encontra em Prisciano:

Segundo os dialéticos [lógicos], há duas partes do discurso, o nome e o verbo, porque só a conjunção dos dois basta para formar uma frase completa; eles chamam as outras partes de "sincategoremas", isto é, partes que consignificam.[92]

Occam desenvolveu muito claramente essa distinção:

O termo, tanto falado quanto mental, se divide ainda de outra forma: certos termos são categoremáticos, outros sincategoremáticos. Os termos categoremáticos têm uma significação definida e determinada; assim, o nome "homem" significa todos os homens,[93] o nome "animal" todos os animais, e o nome "brancura" todas as brancuras, mas os termos sincategoremáticos, tais como "todos", "nenhum", "algum", "inteiro", "além", "somente", "enquanto" (*inquantum*) etc., não têm significação definida e determinada e não significam coisas distintas daquelas que são significadas pelos categoremas; ao contrário, assim como no cálculo as cifras não significam nada por si mesmas, mas acrescentadas a um outro símbolo o fazem significar, assim também o sincategorema propriamente dito não significa nada, mas antes, acrescentado a um outro termo, o faz significar alguma coisa, ou o faz supor para uma ou para várias coisas em um modo determinado, ou exerce alguma outra função (*officium*) em relação ao categorema. Assim, o sincategorema "todos" não tem um significado (*significatum*) determinado, mas, acrescentado a "homem", faz com que esse termo represente efetivamente todos os homens, ou suponha para eles, de maneira confusa e distributiva.[94]

Certos termos podem receber uma leitura categoremática e uma leitura sincategoremática:[95] em (i) *Omnes currunt* (todos correm), "*omnes*" é de fato um pronome e pertence, pois, à classe dos categoremas, ao passo que, em um outro uso, seria um sincategorema. Os categoremas e os sincategoremas são pois classes funcionais.

Os medievais também sistematizaram reflexões anteriores sobre um certo gênero de sofismas, correspondentes a alguns paradoxos semânticos.[96] Chama-se "paradoxo semântico" uma proposição que conduz a duas conseqüências contraditórias, e que põe em jogo as noções semânticas de "verdade", "linguagem"... Distinguem-se os paradoxos semânticos dos paradoxos sintáticos[97] (algumas vezes chamados lógicos ou matemáticos, os semânticos sendo, por sua vez, chamados às vezes de lingüísticos), que põem em jogo os conceitos de conjunto, classe, pertinência.[98] O tipo de paradoxo semântico atingido pelos *insolubilia* é freqüentemente, mas não sempre,[99] aquele que é implicado pela existência de sui-referência no enunciado, isto é, a propriedade que o enunciado tem de referir a si mesmo. Essa sui-referência é exibida de modo muito claro no paradoxo do

Mentiroso, do qual uma das formulações é simplesmente: "Eu minto",[100] ou "Eu digo o falso" (*ego dico falsum*). O caráter paradoxal de "eu digo o falso" é mostrado assim por Guilherme de Sherwood[101] no seu tratado sobre os *Insolubilia*:[102]

(...) (quando digo "eu digo o falso") ou digo a verdade ou digo o falso; se é verdade, digo que digo o falso, logo digo que o falso é verdadeiro, logo digo o falso; se é falso [o que eu digo], então digo que digo que o falso é falso, logo digo não o falso, mas o verdadeiro.[103]

Logo, quando eu profiro "eu digo o falso", produz-se um fenômeno semântico surpreendente: se digo a verdade, então digo o falso, e se digo o falso, então digo a verdade. Uma contradição interna está pois presente no que digo, e o que é importante é que ela não se estabiliza em um dos dois valores de verdade, o verdadeiro ou o falso. Se se fixa um valor arbitrariamente, a avaliação salta para o outro valor e assim por diante até o infinito. De fato, se se fixa por exemplo o valor "verdadeiro", a avaliação salta para "falso" (em virtude do raciocínio expresso por Guilherme), e se se toma o falso como valor, a avaliação salta para o valor "verdadeiro" — e assim por diante. A fonte desse fenômeno semântico é, segundo Guilherme, o fato de que o "eu digo" (*dico*) se reflete sobre si mesmo: "A expressão 'eu digo' se reflete sobre essa expressão [eu digo] e assim se reflete sobre si mesma (*reflectitur... super se ipsam*) e essa expressão 'o falso' sobre esse enunciado ['eu digo o falso'] (...)."[104]

A reflexividade[105] é uma propriedade lógica importante da linguagem natural e a literatura dos *Insolubilia*, mesmo que pareça referir-se a um número muito restrito de fenômenos, interessa a linguagem de modo profundo.

Se os *insolubilia* são uma classe de *sophismata*, importa saber como escapar ao tipo especial de sofisma que eles geram. Os medievais recorreram a várias soluções:[106] eliminação do problema (solução da cassação),[107] distinção do tempo do enunciado e do tempo da enunciação, distinção da falsidade e da autorefutação.

Eliminar o problema consiste em contestar a proposição insolúvel: pronunciando tal proposição, o locutor não diz nada (anulação — *nullificatio* — da atualidade), ou é impossível que ele pronuncie tal frase (anulação da possibilidade). Pronunciando "eu digo o falso", proferirei, segundo essa solução, uma seqüência de palavras, mas não uma frase. Eu ficaria, em termos platônicos, no nível do *onomazein*, e em nenhum caso no nível do *legein*, o único em que posso dar sentido ao que digo. A anulação do poder se aproximaria dos paradoxos pragmáticos do tipo "estou morto" — não se pode refletir sobre o problema semântico que essa frase levanta, pois ela é impronunciável — não há contexto que a satisfaça.

A solução que consiste em distinguir o tempo do enunciado e o tempo da enunciação equivale a restringir a referência temporal da frase. A restrição (*restrictio*) oposta à ampliação (*ampliatio*) é um mecanismo semântico que diminui a extensão da referência de um termo. Por exemplo, "atual", na frase "o presidente da república atual é um homem": a referência de "o presidente da república" (e logo a referência da frase) é restringida por "atual". Uma solução para "eu digo o falso" é afirmar que essa frase não é sui-referencial: em "eu digo o falso", "eu digo" não se refere a "eu digo o falso", mas a um outro enunciado precedendo-o ou seguindo-o imediatamente.

Enfim, uma outra gama de três soluções joga com o valor de verdade:

— Admitir um terceiro valor de verdade: a proposição insolúvel não seria nem verdadeira nem falsa, mas indeterminada (solução que Bradwardine chama "mediação", *mediatio*).[108]

— Afirmar que a proposição insolúvel é falsa: como toda proposição significa que é verdadeira, uma proposição insolúvel é simplesmente falsa, pois ela significa que é falsa (ela significa que é falsa, pois significa que é verdadeira *e* falsa): "Por outro lado: se uma proposição qualquer significa a respeito de si mesma que ela não é verdadeira ou que ela é falsa, ela se significa como não sendo verdadeira e ela é falsa." (Bradwardine)[109]

— Enfim, distinguir radicalmente dois tipos de falsidade: certas proposições são falsas — como se mostrou ao refutá-las —, outras nem mesmo são falsas — elas se refutam a si mesmas. Nesse caso, define-se a proposição verdadeira por satisfazer a duas condições: por um lado, corresponder à realidade, por outro lado, não se falsificar a si própria. A proposição insolúvel que não satisfaça a essa segunda condição não pode ser verdadeira.

Observe-se que no século XIV é a solução de Bradwardine que prevalecerá na literatura dos *insolubilia*.

As exposições sobre a teoria das suposições, os sincategoremas e os *insolubilia* permitiram que se avaliasse a importância da lógica na análise medieval da linguagem. Mas ainda não demos os elementos principais da gramática medieval.

A **gramática medieval** é herdeira da gramática clássica, de Prisciano[110] principalmente. Ela herda, através de autores como Marciano Capella,[111] todo o saber acumulado no *trivium* antigo. Mas quer substituir a orientação muitas vezes descritiva e normativa dos gramáticos latinos por uma orientação estritamente científica, no sentido aristotélico dos *Segundos Analíticos*, isto é, dedutiva e universal. Essa orientação se afirmou a partir da segunda metade do século XII. A gramática tomará então o nome de "gramática especulativa", gramática de filósofos, tanto ou mais do que de gramáticos.

Essa visão universal não se traduz, ou se traduz pouco, por uma grande curiosidade pela diversidade humana dos idiomas — a pesquisa é limitada por ordem de importância ao latim, ao grego, e mais raramente ao hebraico e ao árabe —[112] mas por uma afirmação muito forte da universalidade da gramática, que transcende a diversidade dos usos gramaticais.

Sobre que repousa essa universalidade? Por um lado, sobre uma correspondência ontológica entre linguagem e realidade; por outro lado, sobre uma correspondência psicológica entre linguagem e espírito. Voltamos aqui ao Aristóteles do *De Interpretatione*. Mas então a própria natureza da *sumplokè* impedia que se reduzisse a verdade a uma série de isomorfismos, porque não se pode decidir se a combinação está nas coisas ou no espírito. A gramática medieval efetua essa redução metodologicamente necessária ao fundamento da gramática. O que, até então, se hesitou em cumprir — a revolução da isomorfia das estruturas lingüísticas, cognitivas e ontológicas — os gramáticos especulativos ousam fazê-la.

Uma grande parte das teorias semânticas que acabamos de evocar estão presentes na gramática especulativa, pois esta é, de fato, uma gramática semântica, em que as decisões científicas são tomadas em função da significação: a classificação das palavras, a descrição dos fenômenos de concordância, a própria descrição das regras sintáticas (como o passivo), a caracterização das vozes (ativa e passiva), a análise dos sistemas casuais introduzem considerações sobre a significação e a suposição das palavras.

A **gramática especulativa** é uma gramática formal. Entendemos por isso que o componente morfo-sintático é reduzido, principalmente através da suposição e da doutrina da *dictio*. A distinção entre suposição material e formal, que não tem função em uma teoria da referência (certos lógicos a dispensam, aliás), aparece na gramática: distinguir a suposição formal de "Sócrates" em "Sócrates corre" e material em "Sócrates é um nome próprio" permite distinguir claramente o nível (formal) da referência do nível (material)[113] da descrição metalingüística. Quanto à *dictio*, esta se distingue da voz (*vox*) segundo um esquema próximo da distinção saussuriana entre significante e significado: a *vox* é para a *dictio* o que a matéria é para a forma.

Distinguem-se três tipos de considerações nessa gramática: as que tratam da base categorial, das partes do discurso, as que dizem respeito à forma geral das regras sintáticas[114] e enfim as que se ligam mais propriamente à semântica, isto é, à relação entre linguagem, realidade e intelecção.

Para os modistas[115] a gramática se enraíza na isomorfia entre coisas, intelecções e significações. As coisas possuem propriedades, modos de ser (*modi essendi*), o espírito exerce modos de intelecção (*modi intelligendi*) e impõe significações aos sons, que significam então as coisas. É preciso distinguir dois modos de significação (*modi significandi*): os modos ativos (*modi significandi activi*) e passivos (*modi significandi passivi*). Os primeiros resultam da imposição ativa da significação à *vox*, e os segundos da recepção passiva da significação por essa mesma *vox*. A significação tem pois um aspecto ativo: o intelecto, impondo uma significação, exerce uma atividade, ou antes, executa um ato — e um aspecto passivo: as propriedades das coisas são significadas passivamente pelas palavras. Certos modistas, como Thomas de Erfurt,[116] subdividem os modos, distinguindo no modo de intelecção o modo ativo e o modo passivo. O modo de intelecção ativo corresponde à propriedade dada pelo intelecto à coisa, enquanto o modo de intelecção passivo corresponde à propriedade recebida pela coisa. Entretanto, trata-se do mesmo intelecto:

> É a mesma faculdade de compreensão[117] (*ratio intelligendi*), por meio da qual o intelecto compreende a propriedade da coisa de maneira ativa, e por meio da qual a propriedade da coisa é compreendida passivamente. Logo, as propriedades são diferentes, mas a faculdade (*ratio*)[118] é a mesma,

e por conseguinte, elas diferem materialmente e são uma só e mesma coisa formalmente.[119]

Só os modos ativos se ligam à gramática:

(...) é claro que as faculdades ativas de consignificar[120] (*rationes consignificandi actives*) ou os modos ativos de significar, por si mesmos e em primeiro lugar, pertencem à gramática, de modo que eles sejam os princípios pertinentes da gramática. Mas as faculdades passivas de consignificar ou os modos passivos de significar não são pertinentes para a gramática, salvo de maneira acidental, porque eles não são um princípio nem eficiente nem formal de uma parte do discurso (*partis orationis*), pelo fato de que podem ser propriedades das coisas...[121]

A classificação das partes do discurso é tomada de empréstimo a Prisciano, e através dele aos gramáticos gregos (Dionísio de Trácia, principalmente). Distinguem-se quatro partes declináveis: nome, verbo, particípio, pronome, e quatro indeclináveis: advérbio, conjunção, preposição, interjeição. As definições por Thomas de Erfurt do nome e do verbo mostram até que ponto sintaxe e ontologia são estreitamente ligadas na gramática especulativa. Para Aristóteles nome e verbo diferiam pela (con)significação do tempo. Thomas de Erfurt retoma a oposição tradicional entre os modistas dos dois modos, da entidade (*modus entis*) e do ser (*modus esse*):

O modo de uma entidade é o modo de condição e de permanência inerente na coisa de que ele tem a essência. O modo de ser é o modo da mudança e da sucessão inerentes à coisa, de que eles provêm. Digo pois que o modo ativo de significar, pelo modo de uma entidade, que é o modo geral do nome, é derivado desse modo de ser uma entidade (*modo essendi entis*) que é o modo do *habitus* e da permanência. Mas o modo ativo de significar por meio do modo de ser, que é o modo essencial do verbo, é derivado do modo de ser desse mesmo ser (*modo essendi ipsius esse*) que é o modo do fluxo e da sucessão (*modus fluxus et successionis*).[122]

## 4. Occam e o nominalismo

Se alguns trabalhos recentes[123] começaram a tornar Occam (ca.1285-1349) legível em francês, ainda falta muito para que a sua estatura seja reconhecida. Ele sofre (como Duns Scot, por exemplo) por não se prestar à fragmentação que se faz nos concursos para o magistério, articulações artríticas da nossa Universidade. É através da sua concepção nominalista da lógica que nós abordaremos o seu pensamento — mas essa é apenas uma parte minúscula de um vasto conjunto.

A significação da filosofia occamista decorre de sua rejeição à metafísica e à epistemologia ligadas ao realismo medieval. Ele as reconstrói sobre um fundamento empirista: o conhecimento direto das coisas individuais e dos acontecimentos particulares — em suma, dos particulares concretos. "Toda coisa fora do espírito é realmente singular."[124]

P. Alféri comenta este axioma da existência singular:

> A singularidade de todos os entes enquanto entes não tem que ser deduzida ou derivada: "Tudo o que é singular [isto é, todo ente, P.A.] é singular sem que nada tenha que ser acrescentado (*per nihil additum*)."[125] Em outras palavras, a singularidade é, na ordem dos entes, o fato ou o dado fundamental; o singular é singular de pleno direito, sem que esse fundamento tenha, ele próprio, que ser fundado. Isso significa inicialmente que se há "substâncias", já que se mostrou, de saída, que os universais não são universais, só as coisas singulares são substâncias. Só este homem, esta pedra, esta árvore merecem ser pensados em uma ontologia como substâncias.[126]

Alféri é aqui vítima do culto moderno do singular: é melhor falar com J. Murdoch do "particularismo occamista". De fato, uma pluralidade pode ser particular e Occam terá sempre necessidade de multiplicidades particulares.

Devemos pois examinar como Occam nega a substancialidade aos universais. A leitura do *Comentário sobre o livro dos predicáveis de Porfírio* permite apreender com precisão o sentido do seu nominalismo. Abelardo comentou esse mesmo texto na primeira parte da *Logica Ingredientibus*,[127] o que facilita uma comparação dos dois nominalismos, de Abelardo e de Occam.[128]

Occam baseia a sua discussão do problema levantado por Porfírio sobre duas afirmações principais:

> **I.** Ora, é preciso considerar como certo que qualquer existente imaginável é, por si, sem que se lhe acrescente nada, uma coisa singular e numericamente una,[129] de modo que nenhuma coisa imaginável é singular por alguma coisa que lhe seria acrescentada [como um princípio de individuação pela forma ou pela matéria]; ao contrário, essa propriedade convém imediatamente a toda coisa, porque toda coisa, por si, ou é idêntica a uma outra ou difere dela.[130]

> **II.** ... é preciso considerar que nenhum universal existe realmente, fora da alma, nas substâncias individuais, nem faz parte da substância ou da essência destas; mas o universal ou existe apenas na alma ou é universal pelo efeito de uma convenção, pela maneira pela qual essa palavra que

se pronuncia "animal" ou "homem" é universal, porque ele pode ser o predicado de vários sujeitos, não por si mesmo, enquanto palavra, mas pelas coisas que ele significa.[131]

**I** tem uma forma afirmativa universal: tudo o que existe é singular e **II** tem uma forma negativa universal: nada de universal existe fora da alma; **I** e **II**, tomados juntos, conduzem à conclusão de que, se o universal não existe em sentido estrito, existe universal — na alma. É o que afirma Occam: os universais estão no intelecto, mas como existentes, como signos.

Os gêneros e as espécies não subsistem fora da alma, mas estão somente no intelecto, porque são apenas intenções ou conceitos formados pelo intelecto; eles exprimem as essências das coisas e as significam, mas não são as coisas, assim como o signo não é o seu significado. Eles não são partes das coisas, como também a palavra (*vox*) não é uma parte do seu significado. Eles podem servir de predicados para as coisas, mas não por aquilo que eles são: de fato, quando um gênero é atribuído a uma espécie, gêneros e espécies não se apresentam por si mesmos porque não se apresentam [supõem] simplesmente (*simpliciter*), mas pessoalmente (*personaliter*) e assim se apresentam em lugar de seus significados [supõem por seus significados],[132] que são coisas singulares; mas esses gêneros e espécies são atribuídos às coisas representando as próprias coisas que eles significam. Assim, na proposição "Sócrates é um animal", a palavra "animal" não se apresenta por si mesma, mas em lugar de outra coisa: o próprio Sócrates. Mas, embora o que contém o intelecto, segundo o pensamento dos filósofos e segundo a verdade, sejam os gêneros e as espécies, além delas, as próprias palavras que lhes correspondem podem, de certo modo, ser chamadas gêneros e espécies, na medida em que tudo o que é significado por um conceito ou intenção na alma é significado por uma palavra, e inversamente; isso porém segue unicamente a decisão do instaurador da linguagem.[133]

A intelecção das coisas singulares é absolutamente primeira para Occam (enquanto para a maioria dos realistas é o contrário: o intelecto conhece o singular pela mediação do universal). O que é conhecido pela intelecção de um singular é uma coisa extramental, não um signo. O objeto singular precede o ato que lhe é próprio e que vem primeiro. Esse conhecimento, que é simples, próprio a uma coisa singular, e primeiro a ser adquirido, é um conhecimento intuitivo. O conhecimento abstrativo supõe um conhecimento intuitivo.[134]

A distinção entre esses dois tipos de conhecimento provém de Duns Scot: ele afirma que o intelecto tem duas formas de apreensão simples e imediata, a da existência dos individuais, isto é, o conhecimento intuitivo, e o conhecimento abstrativo pelo qual o indivíduo é conhecido não em si mesmo, mas por meio de uma representação.[135] Para Duns Scot,

> Já que o vejo, sei que Sócrates existe e sei que o que conheço é um existente singular; mas além da sua existência, que a minha sensação me revela, só conheço abstratamente a sua natureza. (...) O intelecto não tem, nesta vida, e no seu estado presente, a intuição do princípio individuante que restringe a natureza comum à singularidade do existente.[136]

Essa distinção da existência e da natureza de um existente singular é abolida em Occam: ele não raciocina em termos de uma natureza comum individuada posteriormente. Logo de saída, o existente é individual.

Quais são as conseqüências dessa tese que afirma a primazia ontológica do existente singular na semântica occamiana? Devemos distinguir no termo "nominalismo", tal como o entendemos habitualmente hoje, por um lado a orientação para o individual, cujo sentido acabamos de mostrar, e a redução do universal a um nome ou um signo. Vê-se, aliás, que o nominalismo de Occam é, em certo sentido, um realismo — um realismo da coisa individual, se entendemos, de forma moderna e enfraquecida, o realismo como a tese da independência do objeto diante do espírito que o concebe ou o nomeia.[137]

O erro realista, que acabamos de caracterizar na continuação do pensamento de Occam, no nível ontológico, pode ser descrito em um nível semântico ou lógico. Para Occam, como para a maioria dos lógicos medievais, os termos categoremáticos são divididos em dois tipos semânticos, os de primeira intenção e os de segunda intenção. Occam caracteriza assim essa distinção:

> Basta, no momento, saber que a intenção é alguma coisa na alma, um signo significando naturalmente alguma coisa pela qual ele pode significar ou que pode fazer parte de uma proposição mental.[138]
>
> Esse signo pode ser de dois tipos. Em um caso, ele é sinal de uma coisa que não é um signo (quer ele signifique ou não um signo ao mesmo tempo que essa coisa), sendo chamado de intenção primeira. Tal é essa intenção da alma (*intentio animae*) que é predicável de todos os homens, assim como a intenção que é predicável de todas as brancuras, ou de todas as negruras, e assim por diante. (...)
>
> A intenção segunda é um signo de tais intenções primeiras; tal é o caso de "gênero", de "espécie" etc. Efetivamente, assim como se predica de todos os homens uma intenção que lhes é comum, dizendo "este homem é um homem", "aquele homem é um homem", e assim por diante para cada homem singular, também se predica dessas intenções que significam coisas e supõem para elas uma intenção que lhes é comum, dizendo: "esta

espécie é uma espécie", "aquela espécie é uma espécie", e assim por diante (...). E assim como o nome de primeira imposição significa outra coisa que não sejam nomes, também a intenção primeira significa coisas que não são intenções.[139]

Munidos dessa distinção, podemos formular facilmente o erro realista: ele consiste em confundir os termos de primeira e os termos de segunda intenção; na frase "Sócrates é um homem", os realistas, segundo Occam, imaginam que uma realidade é denotada pelo termo "homem" (por exemplo: a "humanidade"), enquanto "homem" é um termo de segunda intenção, ou mais exatamente um nome de segunda intenção denotando uma intenção segunda, isto é, um conceito (representado por um signo). "Sócrates" é um nome de primeira intenção denotando uma intenção primeira relativa a um indivíduo existente concreto. O erro realista seria um erro de tipo lógico, uma confusão de nível de linguagem.

O axioma ontológico fundamental do nominalismo, o da existência dos particulares, deve pois ser compreendido a partir da doutrina occamista dos termos. Se há um autor para quem semântica e ontologia se pressupõem rigorosamente, este é Occam. Seu sistema tem dupla entrada: ou o axioma dos particulares ou a doutrina dos termos.[140]

A doutrina occamista dos termos deve ser compreendida historicamente à luz de Boécio e da semântica medieval das propriedades dos termos. Boécio, no seu comentário de *De Int.* 17 a 32 ("as palavras escritas são os símbolos dos sons falados...") distinguira três tipos de linguagem e defendera uma tese semântica — a da mediação da significação pelo conceito. Occam retoma tanto a distinção quanto a tese boecianas. Distingue três tipos de frases e de termos, escritos, falados ou mentais. Na verdade, acrescenta o agostinismo da linguagem mental[141] à interpretação boeciana para interpretar o nível dos *pathemata*, ou afeições da alma, como o de uma linguagem interna, estruturada a partir do modelo da linguagem externa. Mas o que é um termo mental? Occam responde identificando termo, conceito, intenção e afeição:

O termo concebido (*terminus conceptus*) é uma intenção ou uma impressão psíquica[142] (*passio animae*), significando ou consignificando (*significans vel consignificans*) alguma coisa por natureza, destinada a fazer parte de uma proposição mental (*propositionis mentalis*) e a supor (*supponere*) para essa coisa.[143]

A intenção no sentido de conceito tem uma origem aviceniana.[144] Esse termo não designa uma relação intencional no sentido de Brentano.[145] É a distinção entre primeira e segunda intenção que permite esclarecer esse conceito. A primeira intenção corresponde ao conceito, ao ato de dividir e de compor em uma proposição e à inferência no discurso, enquanto a segunda intenção corresponde à espécie, à atribuição da quantidade a uma proposição e à descrição de uma inferência como um silogismo.[146]

Para Agostinho, o verbo mental, tomado em sentido forte, precedia toda linguagem, não se confundindo com uma linguagem mental; portanto, a questão de uma linguagem mental proposicional em Agostinho não se levantava. Nem ele nem Anselmo puderam falar de proposição mental. Para Occam, é uma aplicação do seu princípio de parcimônia semântica que comanda o paralelismo da decomposição do discurso falado e do discurso mental:

> Mas pode-se perguntar se intenções distintas dos verbos correspondem no espírito aos particípios falados e escritos. Não parece ser necessário propor uma tal pluralidade entre os termos mentais. (...) Os acidentes próprios aos nomes falados e escritos são o gênero e a configuração [morfologia dos compostos]. Assim como certos acidentes são próprios aos nomes falados e escritos, enquanto eles têm outros em comum com os nomes mentais, o mesmo ocorre com os acidentes dos verbos. Os acidentes comuns são o modo, o gênero, o número, o tempo e a pessoa. (...) Quanto aos acidentes próprios aos verbos instituídos, estes são a conjugação e a configuração.[147]

A estrutura da linguagem mental occamiana é plenamente proposicional. Uma proposição mental é um conjunto de termos mentais suscetível de ser verdadeiro ou falso.

As teorias medievais da referência e da significação sofreram uma mudança radical com o aparecimento do nominalismo. Entretanto, ele representa mais uma ruptura ontológica do que uma ruptura semântica. Nesse sentido, pode-se falar de uma teoria medieval da significação que cobre a oposição entre nominalismo e realismo. Por outro lado, mesmo nas teorias gramaticais, os medievais demonstram uma preocupação metafísica, que possibilita às suas especulações um interesse estranhamente moderno.

# NOTAS

## Semântica Antiga e Medieval

### A ANTIGÜIDADE

1. A categoria de "antigüidade tardia" é muito produtiva no que diz respeito à linguagem. É o período em que, por exemplo, se associam as especulações judaicas e gregas em Fílon, o pensamento cristão e latino em Agostinho, o cristão e o grego em Boécio. (cf. Antigüidade tardia, p.53s.)

2. "Explícito", pois já se encontra em Heráclito uma reflexão sobre o logos que é indiretamente ligado à linguagem.

3. Os textos conservados não demonstram, na verdade, um interesse pela estrutura proposicional, mas, antes, pelo discurso (logos).

4. Górgias, Fragmento B, III in *Les présocratiques*, ed. e trad. Dumont, Gallimard, col. La Pléiade, 1988, p.1024.

5. Cf. N. Kretzmann, "History of Semantics", *Encyclopedia of Philosophy*, v.7, p.359.

6. Posição diametralmente oposta à de Parmênides: o ser é e o não-ser não é.

7. É curioso que os sofistas não tenham notado que na linguagem há, realmente, comunicação dos gêneros sensíveis: o audível se torna visível na escrita.

8. Ibid.

9. *Le problème de l'être chez Aristote*, PUF, 1966, 2ª ed., p.138.

10. Proclo, *Commentaire sur le Cratyle de Platon*, 16, p.25, citado em J.-P. Dumont et alii eds., *Les Présocratiques*, Gallimard, 1988, p.857.

11. Não fica claro sobre o que se baseia Proclo para atribuir essa doutrina a Pitágoras. As fontes do pitagorismo antigo são verdadeiramente pouco numerosas. De qualquer forma, essa oposição entre Pitágoras e Demócrito tem um valor paradigmático.

12. Os comentários do *Crátilo* são poucos, entretanto.

13. Da morte de Platão em 347 a.C. até o último diádoco da Academia, Damáscio, e o fechamento da escola de Atenas por Justiniano, em 529 d.C.

14. O platonismo matemático consiste em conceder um status de entidades ideais (Idéias, Formas) aos objetos matemáticos (números, linha, ponto etc.).

15. Esse tema da idealidade da linguagem será reencontrado em Husserl.

16. J. Jolivet, *Aspects du Moyen Age*, Vrin, 1987, mostra a importância dessa tese em três autores medievais (Isidoro de Sevilha, Godescale d'Orbais e Therry de Chartes). Ele usa a expressão "platonismo gramatical" para insistir no fato de que, no início da Idade Média (séculos VII — XII), a gramática era o único sobrevivente do naufrágio da Antigüidade, "o último resto da herança antiga" (op.cit. p.71).

17. Para um panorama dessa questão, ver B. Parain, *La doctrine platonicienne du langage*, Gallimard, 1942.

18. Heidegger define assim esse sentido primeiro (de *legein*, verbo do qual logos é derivado): "colocar e apresentar depois de ter-se recolhido e ter recolhido outras coisas" (*Essais et conférences*, Gallimard, 1958, p.251). Esse sentido não corresponde

a nenhum dos três que os dicionários julgam fundamentais entre os sentidos primitivos: escolher, contar, enumerar. A resposta que ele dá à pergunta: "Como *legein*, cujo sentido próprio é estender, acaba significando dizer e falar?" (*op.cit.* p.252) repousa sobre uma concepção da linguagem e da etimologia discutível, consistindo principalmente em explicar *legein* pelo alemão *sammeln* (reunir)!

19. *Cratyle*, trad. Robin, Gallimard, col.La Pléiade, v.1 de *Oeuvres* de Platão, p.619.

20. Cf.: "um artesão de tecelagem, é uma lançadeira que ele manejará de modo admirável, isto é, o modo da tecelagem; um artesão do ensino, será uma palavra, e de modo admirável significará de modo magistral" (388c, p.619, op.cit.).

21. G. Ryle ("Plato" in *Encyclopedia of Philosophy*), em 1967, inclui o *Crátilo* no terceiro período da filosofia de Platão, o do *Teeteto*, do *Sofista* e do *Parmênides*. Pode-se notar que o *Crátilo* não apresenta formas explicitamente transcendentes (cf.C.Kahn in Joly ed., *Philosophie du langage et grammaire dans l'Antiquité*, Ousia/PUG, 1986, p.99, citado doravante como PLGA).

22. Cf. Kahn, op.cit. p.100.

23. Efetivamente, há vários legisladores, mas deixamos de lado esse ponto, pois todos eles contemplam a palavra ideal.

24. Veremos que a expressão do pensamento na proposição é desenvolvida no *Sofista*. O *Crátilo* não desenvolve uma semântica da proposição tão completa: o que falta cruelmente é uma teoria da predicação.

25. Op.cit. p.102.

26. 424-425, op.cit., p.667-668. Pode-se ver nesse trecho um dos mais antigos testemunhos da teoria pictural da significação que Wittgenstein devia sistematizar, na primeira parte da sua filosofia (cf. abaixo, p.165).

27. Em Saussure, o significado não é a coisa, mas o seu conceito: "Propomos conservar a palavra *signo* para designar o total, e substituir *conceito* e *imagem acústica* respectivamente por *significado* e *significante*." (*Cours de linguistique générale*, Payot, 1978, p.99.)

28. O *Crátilo* contém, por outro lado, um desenvolvimento sobre a sinonímia dos nomes (próprios e comuns) no caso de apelações humanas e divinas divergentes. Por exemplo, a propósito do rio de Tróia: "os deuses o chamam Xanto e os homens Escamandro" (391 e, ed. Budé, p.63).

29. A. Soulez, *La grammaire philosophique de Platon*, PUF, 1991, p.82.

30. *Phrasein* tem o sentido de mencionar, assinalar, mostrar...; *onomazein* "se refere ao sentido de dar um nome, razão pela qual Parmênides prefere utilizá-lo na sua descrição do seu caminho do erro (em que toda realidade só é constituída por nomes)". Edição e tradução N. Cordero, *Les deux chemins de Parmenide*, Vrin, 1984, p.106.

31. Op.cit. p.37: para um comentário de 2, 7, ver p.105-108 desta obra.

32. Seguimos aqui Nuchelmans, *Theories of Propositions*, North Holland, 1973, p.14.

33. Entretanto, *Onoma* pode designar adjetivos (433e) e infinitivos (414 a-b): não há correlação estrita entre esse termo e esta ou aquela categoria gramatical.

34. Literalmente: que se põe (*thei*), ou que se impõe.

35. Essa palavra é formada de *sun*, prefixo que tem um sentido próximo da preposição *sun* ("com") + *harmonontei*, que é um derivado de *harmonia* ("harmonia"). O sentido literal seria pois "estar em harmonia com".

36. A tradução "accord" [ = concordância (NT)] é de A. Diès (1925); L. Robin (Pléiade, Gallimard 1950, p.327) traduz: "accommodation"; M. Baratin e F. Desbordes (*Histoire*

*des doctrines linguistiques*, T1, Klincksieck, 1981, p.86) traduzem: "ajustement". [respectivamente "acomodação" e "ajuste". (NT)]

37. No sentido em que se pode dizer que os "adjetivos concordam em gênero e número com os nomes que modificam", ou então no sentido de "a preposição *mit* rege dativo".

38. Esse termo é utilizado por Aristóteles no sentido de "combinação".

39. Ou, mais tecnicamente: concatenação, definida como uma "seqüência de átomos discretos imediatamente justapostos" (Chomski e Miller, ver Ruwet, *Introduction à la grammaire générative*, Plon, 1967, p.85-86).

40. In nota 1 da página 328, p.1467, t.2 das *Oeuvres* de Platão, La Pléiade, Gallimard.

41. Para uma observação da complexidade dos dados lingüísticos relativos à oposição entre verbo e nome, ver C. Hagège, "L'opposition verbo-nominale" in *La structure des langues*, Que sais-je?, PUF, 1982, p.69-75

42. "History of the corruptions of logic", *Logic Matters*, University of California Press, 1972, p.44-62.

43. No *De Interpretatione*, cf. "o homem 'é' tem como negação 'o homem não é', e não 'o não-homem é'" (21 bl, ed. Tricot, p.121).

44. A negação de um nome próprio é, aliás, absurda. Cf. abaixo, em Aristóteles: "*não-homem* não é um termo" (*De Int*. 16 a 30, ed. Tricot, p.80).

45. *Euthus* significa em *eutheia grammé* linha reta, e em *euthus ptosis*, nominativo.

46. Algumas vezes, apresenta-se essa doutrina do discurso verdadeiro como uma doutrina do julgamento. Isso é um erro: em todo esse trecho, depois de ultrapassar o nível da pura e simples denominação, Platão explora o nível do *legein*, que não é o do julgar, mas o do dizer. De modo totalmente nítido e explícito, é o logos que é o portador da verdade. No que se segue, é abordada a questão de um correlato mental ou psicológico do *legein*.

47. Poder-se-ia aqui comentar, distinguindo bem o "o que é" do "tal como é", o *tinos* do *peri tinos*. Essa seria, entretanto, uma tarefa difícil, em razão da extrema concisão do texto nesse ponto.

48. Op.cit., v.2, p.158.

49. Mas pode-se fazer uma leitura de Aristóteles em uma leitura de história da lingüística, como M. Baratin e F. Desbordes, eds. 1981, p.18-25, porém essa leitura, a nosso ver, deixa escapar o essencial de Aristóteles sobre a linguagem.

50. Cf. sobre esse ponto, P. Engel, "Structure sémantique et forme logique d'après l'analyse aristotélicienne des phrases d'action" in PLGA, p.181-203.

51. Sobre as *Categorias* aristotélicas, ver Brentano, *Aristote et les significations de l'être*, Vrin, 1992.

52. O comentário das *Categorias* por Simplício é um puro exemplo em curso de tradução (De Brill, Haia). Terá uma dezena de volumes (para uma dezena de páginas do texto de Aristóteles...).

53. Esse termo designa em Platão as letras do alfabeto, cf. Gaudin 1990, *Platon et l'alphabet*, PUF.

54. Trad. Desbordes e Baratin, p.101. Preferimos essa tradução porque, no caso, essa paráfrase lingüística tem o mérito da clareza.

55. Para a distinção entre sentido e referência, em Frege, ver p.157s.

56. Existe o hábito de mencionar o *Peri Hermeneias* por seu título latino.

57. Pode-se retorquir a Aristóteles que "ex-ministre" significa o tempo — há marcas não-verbais que têm por referente um período —, mas o essencial não é isso.

58. Nuchelmans 1973, op.cit., p.30-31.

59. Segundo Diógenes Laércio, IX, 53 e Quintiliano, *Institution oratoire*, III, 4, 10.

60. Diógenes Laércio, op.cit., p.186, t.2.

61. Quintiliano, op.cit. distingue nitidamente eloqüência extrajudiciária e eloqüência judiciária. No *Sofista* 222 e 9, Platão distingue segundo o tipo de assembléia, assembléia pública ou conversação.

62. Quintiliano, III, 4, 9 (que atribui a Anaximandro de Lampsaco essa Retórica). Nessa lista, só os três últimos são explicitamente judiciários. Cf. Nuchelmans, op.cit. p.31.

63. Esse trecho foi comentado, em um contexto completamente diferente, o de uma filosofia da teologia, por J.-L.Marion em *L'idole et la distance*, p.232, criticado por J. Derrida em *Psyché*, Paris, 1987 p.573 s.

64. Ed. Tricot, p.84.

65. Op.cit. p.102.

66. Como nas enumerações, por exemplo, nas genealogias.

67. *De Int.* no que se segue. Também: *Met.* para *A Metafísica, De An.* para o *De Anima, Cat.* para as *Categorias, Poét.* para *A Poética*.

68. Tricot traduz "um som vocal que possui uma significação convencional" (op.cit. p.79). Baratin e Desbordes: "um constituinte da palavra portador de uma significação convencional" (op.cit. p.97), o que é uma paráfrase. Literalmente, trata-se de uma "voz semântica (ou significativa) por convenção". Há uma ambigüidade: é o som ou a significação que é convencional?

69. Vê-se a importância dessa doutrina pelo fato de que tudo isso é praticamente repetido em 19 b 7-12. Aristóteles afirma um pouco depois: "sem verbo não há nem afirmação nem negação" (19b 13).

70. Seria possível traduzir mais literalmente: "ad-significa" ou "con-significa" e até mesmo "pro-significa".

71. Ed. Tricot, p.2

72. Literalmente: a respeito de um substrato ou em um substrato. *Hupokeimenon* significa literalmente: o que é subjacente. Esse termo será traduzido por *sub-stantia*, isto é, o que permanece sob as modificações, acidentes, atributos.

73. Ibid. p.81.

74. Poder-se-ia falar aqui de "conexão noemática" paralela à conexão semântica.

75. "a ligação e a separação estão no pensamento" (1027 b 30).

76. Ed. Tricot, t.1, p.344.

77. Cf.A. Ernout & A. Meillet, *Dictionnaire étymologique de la langue latine*, Klincksieck, 1967: artigo "*pono*", p.520, col.2. Em Cícero, a *propositio* pode traduzir *protasis* — a prótase dos retóricos e gramáticos —, equivalente aproximativo da proposição principal em um enunciado complexo.

78. "*Oratio est vox significativa, cuius partium aliqua significativa est separata*" (tradução de Guillaume de Moerbeke, in Isaac, 1951, p.162).

79. Nuchelmans 1979 p.131.

80. Essa distinção é redutível à distinção entre ocorrência e tipo.

81. Op.cit. p.85.

82. Mais exatamente no *Organon* o que está ligado à lógica: o estudo dos sofismas e raciocínios falaciosos faria intervir o contexto.

83. Para essas distinções, ver Kneale & Kneale, *History of logic*, Oxford, 1964, p.49-53.

84. Tricot traduz: "frase declarativa".

85. 14 b 14 — 22, ed. Tricot revista, p.70.

86. *Met.*, 1051 b 6, ed. Tricot t.2, p.522.

87. Introduzimos aqui, sem defini-lo, o conceito de "estado de coisas", que precisaremos depois, a propósito do sentido do conceito de "*pragma*".

88. É por comodidade que empregamos o termo de expressão, que não é aristotélico, como aliás o de representação: no sentido estrito, para Aristóteles, as asserções não representam nem exprimem os pensamentos.

89. O recurso ao nome indefinido, não-homem, se explica no contexto (em que se trata de mostrar que as asserções com nome indefinido e negação não são nem mesmo negativas) e não implica de modo algum que Aristóteles reconheça, para esse nome indefinido, um status de termo.

90. A equivalência lógica é a seguinte: Todo A é não-B ï Nenhum A é B.

91. Como observa B. Mates (1956, p.11), a tradução de *pragma* por "coisa" é enganosa, pois *pragma* não designa necessariamente um concreto material. Ele propõe "entidade", que é talvez demasiado abstrato: *pragma* designa de fato aquilo de que se trata, e isso pode ser uma combinação de entidades ligadas por uma preocupação.

92. A redescoberta da lógica estóica data dos anos 1930, quando o lógico polonês Lukasiewicz descobriu nos estóicos uma lógica das proposições e da inferência, à luz da lógica matemática. Ver, desse autor: "Contribution à l'histoire de la logique des propositions" (1934), in J. Largeaud ed., *Logique mathématique — Textes*, A. Colin, 1972, p.9-29. Ele afirma que "a dialética estóica e não a silogística aristotélica constitui a forma *antiga* da lógica proposicional" (p.11). Não se deve esquecer Brochard, que, desde 1892, chamou a atenção para essa lógica: "Sur la logique des stoïciens", *Etudes de philosophie ancienne* (cf. também Hamelin: "Sur la logique des stoïciens", *L'Année phylosophique*, 1901, v.XII).

93. Entretanto, trabalhos conhecidos como por exemplo os de Mates (*Stoic Logic*, Berkeley 1956), permitem reconstituir parcialmente a lógica estóica.

94. B. Mates, 1953, p.26.

95. B. Mates faz alusão ao fato de que Cícero e Plutarco eram hostis aos estóicos, e o texto de Diógenes Laércio mostra uma não-penetração das doutrinas compiladas.

96. Cf. P. Boyancé ed. *Le stoïcisme à Rome* (congresso da associação Budé, 1958).

97. Para uma apresentação rápida em francês, ver Baratin e Desbordes, 1981, p.26-34.

98. Para uma discussão geral, ver I.-M.Bochenski, *La logique de Théophraste*, Friburgo, 1947, cap.1.

99. *Contra os matemáticos*, livro VIII. Mates diz que "é nossa única fonte inteligente" (p.8, op.cit.)!

100. *Vies, doctrines et sentences des philosophes illustres*, livro VII in *Les stoïciens*, E. Bréhier trad., Gallimard (La Pléiade), 1962.

101. *Institutio Logica* (Leipzig 1896), trad. inglesa por J.Kieffer, *Galen's Institutio Logica*, Baltimore 1964. Em francês: "Sur les sophismes" in Baratin e Desbordes 1981, p.133-141.

102. Diógenes Laércio, op.cit. p.30.

103. Ibid. p.34.

104. Ibid.

105. Ibid. Comparar p.72: "A dialética, segundo Posidônio, é a ciência das coisas verdadeiras, das coisas falsas e das que não são nem um nem outro. Ela trata, segundo Crísipo, do que significa e do que é significado." O nem-verdadeiro nem-falso da lógica corresponde ao indiferente em moral (recobrindo as coisas nem boas nem más).

106. Entende-se por "significado proposicional" o significado da proposição tomada como um todo.

107. Aqui, é preciso tomar "enunciação" em um sentido material, e não no sentido moderno (Culioli, Ducrot etc.) em que essa palavra designa o conjunto das marcas formais no discurso da apropriação subjetiva da língua. Cf. o artigo "Enonciation" no *Dictionnaire encyclopédique des sciences du langage* de Ducrot & Todorov, 1972.

108. Ou "apresentações". Cf. nosso comentário.

109. Por ser inutilizável a tradução dessa frase por Genaille, nós a modificamos completamente.

110. Diógenes Laércio, Ibid. p.65-67. Não respeitamos a ordem do texto, pois Diógenes Laércio observa uma ordem puramente doxográfica (Dioces de Magnésia, depois do resumo de Zenão), que não é ideal para a compreensão!

111. In M. Baratin & F. Desbordes 1981, p.138-140. Galiano compara de modo muito útil a classificação dos sofismas de Aristóteles e a dos estóicos.

112. G. Deleuze, *Logique du sens*, Minuit, 1968, relacionou o *blituri* estóico com o *bojum* de Lewis Caroll, em *The hunting of the snark*.

113. Diógenes Laércio, Ibid. p.70, tradução modificada (o trecho é incompreensível).

114. G. Nuchelmans, 1973, propõe uma interpretação original do *lekton* — identificando-o com o *kategorema*, isto é, com o predicável — à qual voltaremos, e critica o uso constante que se faz desse trecho. Entretanto, na medida em que nossa introdução é elementar, podemos utilizá-lo.

115. Nós nos permitimos essa criação, por comodidade.

116. Sexto Empírico, *Contra os professores*, 8, 11-12.

117. Sêneca, *Cartas*, 117, 3. A distinção enunciada na última frase deve ser comparada com a estabelecida no *Sofista* entre *legein* e *onomazein*.

118. É a tradução de Bréhier em *La théorie des incorporels dans l'ancien stoïcisme*, Vrin, 1989 (1ª ed.: 1908), p.19-22 e em *Chrysippe et l'ancien stoïcisme*, PUF, 2ª ed., 1950, p.68s.

119. Não é o único incorporal: ao lado do *lekton*, contam-se o vazio, o tempo e o lugar.

120. Vimos acima que Aristóteles não reduz toda proposição à forma "S é P", pois ao lado das proposições de terceira adjacente (da forma "S é P") há proposições de segunda adjacente (da forma "SP é"); cf. *De Int*. cap.X. Entretanto, toda uma tradição peripatética esqueceu essa distinção e esmagou a variedade dos esquemas de enunciados sob a forma predicativa, provavelmente por razões de paralelismo com a metafísica da substância. Leibniz conhecia a fundo essa distinção dos dois tipos de proposição: cf. Mates, *The Philosophy of Leibniz Metaphysics and Language*, 1986, p.97

121. Bréhier, *Chrysippe et l'ancien stoïcisme*, 1951, p.70. Pode-se notar que, desde 1908 Bréhier antecipara a interpretação de Nuchelmans (que *lekton* tem o mesmo sentido que *kategorema*, cf. op.cit. 1973, p.49): "Procuraríamos em vão em que o predicado lógico da proposição poderia diferir dos atributos das coisas, considerados como

resultados de suas ações. Ambos são designados pela mesma palavra *categorema* e encontram sua expressão em verbos; ambos são incorporais e irreais. (...) Em sua irrealidade e por ela, o atributo lógico e o atributo das coisas podem pois coincidir." (op.cit. p.21-22)

122. Sexto Empírico, *Contra os lógicos*, 8.70, ed. Bury, v.2, p.273.

123. Sub-sistência é formado como ex-sistência. Essa palavra tem pois o seu lugar para traduzir essa noção estóica.

124. Parmênides (132 b-c).

125. Long & Sedley, *Heelenistic Philosophy*, v.1, Cambridge 1987, p.164.

126. Que Russell traduz precisamente por "*subsist*" em sua crítica de Meinong. Ibid.

127. Cf. sobre Meinong: K. Lambert, *Meinong and the Principle of Independance*, Cambridge, 1983. Sobre a ontologia das entidades não-existentes, cf. T. Parsons, *Non Existant Objects*, Yale, 1980.

128. Nesse sentido, um caso recobre uma relação semântica, por exemplo, o dativo recobre a relação doador/beneficiário.

129. Isso repousa sobre um testemunho de Plutarco (*Questions platoniciennes*, 1009 c), que visivelmente força o paralelo com o *Sofista*, mas o uso categorial do "caso" permite reconstruir a doutrina estóica de modo coerente. Tropeçamos aqui na divergência dos interesses próprios aos filólogos e aos historiadores da filosofia (e da semântica).

130. Sexto Empírico, *Adv. Math.*, XI, 29, citado por Mates, 1953, p.17.

131. Cf. Diógenes Laércio, op.cit. p.72. A tradução francesa falha completamente, propondo "il écrit" [ele escreve], em lugar de "écrit" [escreve]: "il écrit" seria uma proposição completa e não um predicável!

132. Ibid. p.72-73 (*kategorema* é traduzido como "verbo", o que tira todo o sabor de nossa observação).

133. Diógenes Laércio, op.cit. p.70 (VII, 58).

134. Que se refere a Diógenes de Babilônia e a Crísipo.

135. Expressão de Strawson.

136. Segundo Simplício em seu *Comentário das categorias* (66, 32 — 67, 2) e Plotino, VI[a] *Enéada*, VI, I, 25. Não se trata, no sentido estrito de categorias, mas de gêneros do ente (*géné ton onton*), diferindo das "categorias" aristotélicas que são tipos de predicação, cf. A. Graeser, "The Stoic Categories" in *Les stoïciens et leur logique* , Vrin, 1978, p.199-221.

137. Mates, op.cit. 1953, p.20, compara a qualidade particular com o conceito individual de Carnap. Para este, o sentido de um nome próprio é um conceito individual, isto é, o conjunto das propriedades possuídas pelo indivíduo durante a sua existência — sua denotação sendo o indivíduo, em carne e osso.

138. Vimos que a parte do discurso do artigo subsume também os dêiticos, isto é, os elementos lingüísticos que veiculam um ato de ostentação ou de mostração pura. Para Russell esses elementos são nomes próprios lógicos.

139. Permito-me essa criação, para jogar com o "caso".

140. Adotamos essa tradução de *rhema* para marcar bem que é tudo o que é suscetível de ser predicado, e para distingui-lo do predicado abstrato que corresponde ao *kategorema*.

141. Deixamos obscuro este último ponto. Para esclarecê-lo, seria necessário explicar o conceito de disposição, que nos afastaria do nosso assunto. Pode-se notar, entre-

tanto, que o conceito de "disposto" exigiria uma análise do conceito aristotélico de *diathesis* (disposição), em *Cat.* cap.8.

142. Sexto Empírico, *Contra os professores*, 8.93-8.

143. *Cum grano salis*: possuímos os manuscritos de Leibniz!

144. Filodemo deixou, entretanto, vários escritos de lógica, dos quais vários descobertos nos papiros de Herculano. Cf. Filodemo, *On Inference*, Bibliopolis, Nápoles.

145. Edition Bollack, Minuit 1968.

146. Foram a utilização por Cícero, eclético espiritualista, de temas estóicos e a violência da polêmica cristã contra a apologia epicurista do prazer que contribuíram para estabelecer essa oposição chamada a um grande futuro escolar, e restrita ao campo da moral individual.

147. Pode-se desenvolver esse ponto, mas é preciso, assim mesmo, sublinhar que o conceito de "materialismo" se aplica mal às doutrinas da Antigüidade.

148. *asomaton*.

149. *Timeu* 67 b cf. Aristóteles *De Anima*, 420 b 27-29: "a voz (*phonè*) é certamente um som carregado de significação (*semantikos phonè*) e não um ruído produzido simplesmente pelo ar inspirado como a tosse: na voz, fere-se, com o ar inspirado, o ar da traquéia-artéria contra a parede desta".

150. O texto do *Timeu* não corresponde a essa citação. Eis o que se aproxima mais dele: "... admitamos que o som é o choque, transmitido através dos ouvidos, por meio do ar, do cérebro e do sangue até a alma. O movimento que esse choque determina, que começa na cabeça e termina na região do fígado, é a audição." Vê-se, além disso, que se trata, de fato, de uma explicação fisiológica.

151. *Vide infra* 1, 2.

152. Aulo-Gélio, *Nuits attiques*, V, XV, in *Oeuvres complètes*, tomo 1, Garnier, Paris, 1863, p.271-272. Em um último parágrafo, que omitimos, o autor exprime o seu ceticismo sobre essa diversidade de opiniões.

153. Olimpiodoro (*Comentário do Filebo*), Hierocles (*Comentário dos versos dourados*). A propósito dos nomes dos deuses, ver: Cassirer, *Langage et mythe. A propos des noms des dieux*, Paris 1973.

154. Op. cit. in *Les présocratiques*, p.879-880.

155. Tradução literal: os referentes últimos das palavras.

156. Ibid. p.227, cf.: "ele chamava as coisas com a mais escrupulosa precisão" (Diógenes Laércio X, *op. cit.* p.219).

157. Cf. acima, p.35s.

158. *Contra Colotes* 1119 F, in Long & Sedley, p.100.

159. Long & Sedley, op.cit. p.99 (tirado de "Da natureza", XXVIII, *Opere* de Epicuro, Turim, 1973).

160. Ibid.

161. Segundo um comentário anônimo sobre o *Teeteto* (Long & Sandley p.99).

162. Diógenes Laércio, op.cit. p.240 (*Carta a Heródoto*).

163. Filósofo epicurista (aproximadamente 200 a.C.), do qual subsistem textos gravados em colunas na Turquia central, editados em 1967 por Chilton.

164. Long & Sandley, p.98. Esse texto se encontra em tradução francesa em Baratin e Desbordes, op.cit. p.114.

165. *De natura rerum* (V, 1020-1045) trad. Ernout.

166. Ver acima, p.12s.

167. Morto em 269 a.C., físico e filósofo peripatético dissidente.

168. Sexto Empírico, op. cit. 8.38, p.247.

169. Ibid. 8.63, p.269. Quando Orestes imagina ver as Fúrias, sua sensibilidade não está no erro (as imagens existem realmente), mas seu espírito está no erro, quando ele pensa que elas são sólidas.

170. In Long & Sedley p.80, fonte: *Fragmenta Herculanensia*, Oxford, 1885.

171. A melhor introdução ao universo histórico e mental do neoplatonismo é o capítulo III de *Païens et chrétiens dans un âge d'angoisse*, de E.R. Dodds, La Pensée Sauvage, 1979, p.85-119.

172. Os tratados VI, I-XXIV (para o primeiro texto), VI, 2 (para o segundo), VI, I, XXV-XXX (para o terceiro).

173. Cf. as sílabas longas e breves.

174. VI, 1, 5, 1-8, ed. Bréhier, vol. 6, 1, p.64.

175. 1, 2, 3, 28-31, ed. Bréhier, vol.1, p.54-55, trad. revista.

176. Cf.: "... como a palavra expressa (*prophora logou*) é a imagem do verbo interior à alma, assim também ela é o Verbo da Inteligência..." onde aparece o *logos prophorikos* dos céticos (*Adv. math.* 8, 275) e dos estóicos. Ver abaixo, a propósito de Agostinho, p.60s.

177. Cf. Panaccio, *Langage, pensée et proposition chez Occam*, Bellarmin, 1992, para a exposição de uma tese proposicionalista rigorosa da linguagem mental (Occam).

178. V, 5, 5, 22-25, ed. Bréhier, vol.5, p.97

179. VI, 9, 5, 36, ed. op.cit. vol.6, 2, p.178.

180. VI, 1, 18, ed. Bréhier, vol.6, 1, p.81; ed. Bouillet, vol.3, p.182.

181. Sobre a importância e o alcance dessa introdução do "instantâneo", ver a introdução de Bréhier a esses dois tratados VI, 1 e VI, 2 p.24. Ele lembra a oposição entre Platão e Aristóteles sobre o instante da mudança. Platão pensa que a mudança "não poderia ser em tempo algum" (*Parm.* 156d) e Aristóteles, ao contrário, afirma que "não pode acontecer que haja uma mudança ocorrendo neste instante" (*Phys.* IV, 6, 237 a 14).

182. *Met.* 6, 1048b, 18-35. Comentário em Kenny, *Action, Emotion and Will*, Londres, 1963, p.171-186 e P. Engel, "Structure sémantique et forme logique d'après l'analyse aristotélicienne des phrases d'action" PLGA, sp.p.181-191. Cf.também P.Gochet, "Un problème de l'école analytique: la classification des verbes", *Revue de métaphysique et de morale* 1980. Para o aspecto lingüístico, ver *Les classes de procès*, C. Fuchs ed., Klincksieck, 1991 (principalmente o artigo de L. Gosselin & J.François, "Les typologies de procès: des verbes aux prédications").

183. Aristóteles: *Cat.* IV, 2a 1: "tempo: ontem, no ano passado". Lugar e tempo têm como exemplos advérbios e posse, posição, ação, paixão das formas verbais.

184. Ibid. IX, 11 b, 10-14, ed. Tricot, p.54-55 ("em razão de sua [tempo, lugar, posse] natureza bem conhecida não temos nada mais a dizer").

185. 38 a 1-b 3, ed. Rivaud (Col. Budé) p.151.

186. Não podemos analisar a argumentação complexa desse texto.

187. VI, 13, 12, ed. Bréhier, vol. VI-1, p.76.

188. Ibid. VI, 13, 25, ed. op.cit. p.77.

189. Ibid. VI, 13, 14-16, ed. op.cit., p.76. Considerações similares sobre o "onde?" em VI, 1, 14, em que Plotino interpreta "em Atenas" como significando "está em Atenas".

190. Com ele, acaba o neoplatonismo antigo, depois do édito de Justiniano que baniu os filósofos pagãos, em 529.

191. Cf. Damascius, *Traité des premiers principes. De l'inefflable et de l'un*, trad. J. Combès, Belles Lettres, 1986.

192. *Traité des premiers principes. De l'ineffable et de l'un*, ed. Westerink, trad. J. Combès, Belles Lettres 1986, p.64.

193. *Des premiers principes*, trad. Galpérine, Verdier, 1987, p.612. Cf. *supra* p.43 a nomeação dos deuses em Epicuro.

194. Ibid. p.613.

195. Ibid. p.612.

196. De fato, ao lado desses dois meios, existe também a eminência. A analogia corresponde a "Deus é como um pai para seus filhos"; a negação a "Deus não é um pai" e a eminência a "Deus é o melhor dos pais". Mas os neoplatônicos reduzem algumas vezes esses meios a dois (cf. Proclo, *Théologie platonicienne*, II, 6, ed e trad. Westerink, v.2, Belles Lettres, 1974, p.42): para Proclo a negação conduz ao nome do Uno e a analogia ao nome do Bem para o princípio inefável.

197. Damascius, trad. Galpérine, op.cit., p.613.

198. Ibid.

199. Proclo, op.cit., vol.1, 1968, p.124.

200. Ibid.

201. Cf. E. von Ivanka, *Plato Cristianus*, PUF, 1990.

202. Atribuiu-se a Dionísio o Areopagita, membro do Areópago convertido por São Paulo, um corpus de escritos de teologia negativa, remontando provavelmente ao século VI, talvez originário da Síria e certamente influenciado por Proclo. Cf. R.Roques, *Structures théologiques. De la gnose à Richard de Saint Victor*, PUF, 1962, p.63-92.

203. Trad. fr. em *Oeuvres complètes du pseudo-Denys l'Aréopagite*, trad. M. de Gandillac, Aubier, p.67-176.

204. Para essa categoria, ver: H.-I. Marrou, *Décadence romaine ou Antiquité tardive?*, Seuil, 1977; P. Brown, *Genèse de l'Antiquité tardive*, Gallimard, 1978.

205. Para uma crítica da escolha dessa data, cf. De Rijk, *La philosophie au Moyen Age*, Brill, Leide, 1985, p.3. De Rijk mostra, entretanto, que nenhuma data se impõe verdadeiramente, entre 300 e 600. Essa data é pois uma escolha arbitrária.

206. *Gen* II, 19-20. Cf.: "E o nome que Adão dava a cada um dos animais era o seu verdadeiro nome."

207. *Gen* XII, 1-8.

208. *Ex* 3, 14.

209. *Jn*, I, 1-s; cf. Santo Agostinho, *Homélies sur l'Evangile de Jean*, Editions Augustiniennes, 2 v.; Scot Erígena, *Homélies sur le Prologue de Jean*, Sources chrétiennes; Mestre Eckhart, *Commentaire de l'Evangile de Jean*, Oeuvres latines de Maître Eckhart, Cerf.

210. *Apocalipse*.

211. Buffière, *Les mythes d'Homère et la pensée grecque*, Belles Lettres 1956.

212. *Les Présocratiques*, op.cit., p.24-41.

213. É curioso constatar que "essa escola tem entre seus adeptos e discípulos a maioria dos grandes heréticos"! (*Histoire de la philosophie*, Gallimard, La Pléiade, v.1, p.954).

214. *Traité Théologico-Politique* (ver cap.VII : "L'interprétation de l'écriture").

215. Se o nosso projeto fosse uma história da semiótica, daríamos o primeiro lugar ao *De Magistro*.

216. Sinônimo arcaico de *vinum*. Cf. Juvenal, *De Coryrea temetum duxerat urna*.

217. *De Trinitate* (doravante designado como DT), XI, 2.

218. Ibid.

219. Ibid.

220. *De Magistro*, trad. Jolibert, Klincksieck, 1988, p.73-74.

221. Cf.: "um nome não é utilizado com o gesto demonstrativo, mas apenas explicado por esse gesto" in Wittgenstein, *Investigations philosophiques*, trad. Klossowki, Gallimard. Ver abaixo. Santo Agostinho concordaria com essa observação de Wittgenstein.

222. *Confessions* I, 1, 8: trad. J. Trabuco, GF, nº 21, p.23-24.

223. Op. cit. § 1, p.115, ver, quanto a Wittgenstein, p.167s.

224. Ibid. p.116.

225. Ibid. p.126.

226. Desenvolvi esse ponto em: "A semântica de Santo Agostinho é mentalista?", PLGA, p.377-400.

227. *Dialectica*, ed. e trad. J. Pinborg, Reidel, 1975.

228. *De Trin., XV.*

229. Cf. P. Courcelle, *Les lettres grecques en Occident. De Macrobe à Cassiodore*, Paris, 1942.

230. Citado in *Histoire de la philosophie*, Gallimard, La Pléiade, op.cit. v.1, p.1226.

231. J.Isaac, *Le peri hermeneias en Occident de Boèce à saint Thomas. Histoire littéraire d'un traité d'Aristote*, Vrin, 1953, p.24.

232. Com a exceção dos Segundos Analíticos. Essas traduções foram perdidas. Cf. L. Minio Paluello, *Opuscula*, Amsterdam, 1972, p.323-335.

233. Cf. sobre esse último ponto: M.D. Chenu, *La théologie au XII*[e] siècle, cap.5: "Aetas boetiana", Vrin, 1966, p.142-158.

234. Seguimos aqui as indicações de G. Nuchelmans, *Theories...*, op.cit. v.1 p.123-135; A. de Libera, *La philosophie au Moyen Age*, Paris, PUF, 1989, p.39-40; N.Kretzmann, *History...*, op.cit., p.367-368.

235. *Nota* traduz ao mesmo tempo *sumbolon* e *semeion*.

236. Boécio, *Commentaire du De interpretatione*, in Patrologie Latine (abr. P.L. doravante) 64, 413, A-B (leia-se: tomo 64, p.413, colunas A e B).

237. Cf. o livro de J. Biard, *Logique et théorie du signe au XIV siècle*, Vrin, 1989.

238. P.L., 64, 407 B-C.

239. P.L., 64, 159 B-C.

240. Tomando às vezes, em certos autores medievais (na linhagem dos *Elementos de Teologia* de Proclo), por exemplo em Alain de Lille, uma forma axiomática.

## A IDADE MÉDIA

1. Para uma história da lógica medieval: CHLMP, p.99-383, Biard 1989 (quanto ao século XIV); para uma história da gramática medieval: I. Rosier, *La grammaire des modistes*, Presses Universitaires de Lille, 1986.

2. Para uma discussão crítica da categoria de "Idade Média", e mais geralmente da periodização histórica, ver De Rijk, *Introduction à la philosophie médiévale*, De Brill, 1985, op.cit., p.1-65.

3. In De Rijk, op.cit., p.66, citação de um tratado escolar do século XIII.

4. *Didascalion*, Cerf, trad. M. Lemoine, 1991, p.70.

5. *Etymologies*, 2, 24, 9, citado no *Didascalion*, op.cit., p.92. Deve-se notar que esta será a definição padrão da dialética no século XII, e depois, da lógica no século XIII.

6. Cf.p.38s. para a noção aristotélica de caso.

7. Trad. Tricot, op.cit. p.2.

8. PL 64, 167d-168 B.

9. Para tudo isso, ver: J. Jolivet, "Vues médiévales sur les paronymes", in Jolivet, 1987, p.138-158 e CHLMP p.134-137.

10. PL 64 167 D-168 A.

11. Tudo isso é evocado na introdução à tradução francesa do *De Grammatico* (trad. A.Galonnier, *Oeuvres complètes de Saint Anselme*, v.2, Cerf, 1987, especialmente p.38-39).

12. É aliás um exemplo escolhido nas *Categorias* por Aristóteles.

13. Op.cit. p.226.

14. Op.cit. p.85.

15. Cf. D.P. Henry, "Predicables and Categories", CHLMP, p.137.

16. Nos fragmentos encontrados em 1936 pelo editor de suas obras completas, F. Schmidt.

17. D. Davidson, "The logical form of action sentences" (1966) in *Essays on Actions and Events*, Oxford, 1980, p.10-148, trad. franc. P. Engel, *Actions et evénements*, PUF, no prelo.

18. Ver G.H. Von Wright, *Practical Reason*, Blackwell, 1983, para um desenvolvimento dessa distinção.

19. Essas transformações são apresentadas e discutidas em D.P. Henry, *The logic of Anselm*, 1967 e em H. Dazeley & W. Gombocz, "Interpreting Anselm as a logician", *Synthese*, v.40, nº 1, 1979, p.71-97.

20. *Monologion*, in *Oeuvres de Saint Anselme*, trad. M. Corbin, v.1, Cerf, 1986, p.80-81.

21. A imagem que corresponde a "homem" não valerá pelo que ela representa, como suporte, de um certo homem, mas pelo que ela permite assinalar como propriedades comuns aos homens. Aqui se levanta um problema difícil sobre a oposição individual/genérico para a imagem, sobre a diferença precisa entre occamismo e posição de Anselmo sobre o caráter específico da intuição de um singular.

22. Trata-se de um termo agostiniano que designa o sono do intelecto, em que o dianoético dá lugar à intuição contemplativa da coisa, ou à sua fruição, no caso de Deus.

23. Op.cit., p.81.

24. *De trin.*, 4, 17, 33; 2, 8, 3; *Conf.* 7, 3, 16; *De Mag.* 10-68.

25. *De veritate*, Oeuvres d'Anselme, ed. Corbin, v.2, p.135.

26. *Arts du langage et théologie chez Abélard*, Vrin, 2ª ed. 1982, p.55s.

27. Cf. Tweedale in CHLMP, p.143.

28. A partir daqui, seguimos Jolivet 1982, p.66s.

29. Ver p.61-62 para a importância da interpretação boeciana.

30. Esse argumento e os seguintes são tirados dos comentários de Abelardo sobre *De Int.*, que se encontram na edição Geyer, *Philosophische Schriften*, Münster, 1919-1923. A França não ofereceu a um dos seus mais populares heróis filosóficos uma edição digna desse nome, desde os trabalhos de V. Cousin...

31. O verbo *significare* tem o sentido de *exprimere, manifestare intellectum*, ou de *constituere, generare intellectum*. Jolivet assinala que Abelardo se dissocia de Prisciano, para quem uma palavra significa, porque aquele que a pronuncia manifesta o que ele pensa (op.cit. p.67).

32. Nuchelmans, 1973, p.140.

33. Ed. Geyer, p.136, citado em Jolivet, 1982, p.67.

34. *Dialectica*, ed. De Rijk, Aassen 1956, p.154; trad. Jolivet, op.cit. p.68.

35. Tweedale, op.cit. p.149.

36. Crítica restrita pelo fato de que o conhecimento de Aristóteles é limitado ao século XII: a *logica vetus* conhece apenas uma pequena parte do *Organon* e não, por exemplo, a *Metafísica*. Sobre a recepção de Aristóteles, ver o breve resumo de A. de Libera, 1989, p.9-10.

37. "*Album*" significa "branco" ou a cor branca; é nesse segundo sentido que se deve entender aqui "branco".

38. *Dialectica*, op.cit., p.122. O grifo é meu.

39. Ibid. p.148.

40. *Dialectica*, op.cit. p.149.

41. Para uma discussão da interpretação ao mesmo tempo histórica e lógica desse conceito, ver: A. de Libera, "Abélard et le dictisme", in *Abélard, Le "dialogue", la philosophie de la Logique. Cahiers de la revue de théologie et de philosophie*, nº 6, Genebra & Lausanne, 1981, p.59-99. Ver também Jolivet, 1982, p.77-82.

42. *Sur le Peri Hermeneias*, ed. Geyer p.308, citado em Jolivet, 1982, p.80.

43. Aqui, proposição é tomado no sentido gramatical, de componente sintático imediatamente inferior à frase.

44. Cf. Jolivet 1982, p.81; De Libera 1981 p.63-64 (preciosa nota 21 sobre os infinitivos em latim); Nuchelmans 1973, p.153-154.

45. Exemplo em Nuchelmans, op.cit., p.153.

46. É preciso tomar com precaução essa maneira de apresentar a relação do *dictum* com a *propositio*. Poderia ocorrer que fosse um quase-nome daquilo que a proposição diz. Além disso, o estado de coisas é uma quase coisa (*quasi res*).

47. O que é uma proposição infinitiva é sujeito de "é verdade", "é possível" ou "é o caso".

48. Op.cit. p.81-82. Para Frege (cf. p.152s.), a proposição é um nome do verdadeiro ou do falso, segundo que ela seja verdadeira ou falsa. Para Russell (cf. p.158s.), a proposição é um nome do estado de coisas que ela denota. Mas para que uma tal doutrina seja aceita (que a proposição seja um nome), seria necessária uma transformação radical do conceito de nome.

49. Além disso, o *lekton* corresponde a uma representação, enquanto não há intelecção do *dictum propositionis*.

50. Jolivet, op.cit. p.83. Jolivet passa da expressão abelardiana *hoc totum*, que designa o todo que é verdadeiro em uma expressão impessoal, para o conceito de conjunto, que tem limites precisos.

51. *De propositionibus modalibus*, citado em Bochenski 1970, p.183.

52. Cf. como introdução estimulante: P. Vignaux, *Nominalisme au XIVe siècle*, (1948), Vrin-Reprise, 1982. Os trabalhos recentes sobre os *Nominales* (W. de Courtenay) são importantes.

53. De fato, Roscelin (? — ap.1120), antes de Abelardo, tinha defendido um nominalismo radical: reivindicava passar de uma ciência das coisas para as próprias palavras.

54. Prantl, *Geschichte der Logik im Abendlande*, t.II, p.119 distingue treze opiniões diferentes sobre os universais!

55. Sobre esse nominalismo moderno, ver a síntese de P. Gochet, *Esquisse d'une théorie nominaliste de la proposition*, Armand Colin, 1972.

56. Trata-se de uma simplificação, nem que fosse apenas porque há formas muito diferentes de realismo e porque, por exemplo, Abelardo se opunha a um realismo próximo do de Anselmo, enquanto Ockham se opunha a um realismo mais próximo do de Duns Scot. Aqui, caracterizamos o realismo a partir das teses extremistas de Guillaume de Champeaux (? — 1121). Quando tivermos que expor a ruptura occamista, apresentaremos os corretivos necessários sobre o tipo de realismo rejeitado por Ockham.

57. I, 9-14 in *Isagogé*, ed. e trad. Tricot, 1947.

58. Como as Idéias de Platão.

59. Jolivet, "Abélard et Ockham lecteurs de Porphyre" in *Abélard. Le dialogue...* op.cit. p.41s.

60. Jolivet, op.cit. p.42 menciona que em certos textos Abelardo considera uma terceira resposta: os universais seriam idéias, solução explicitamente ligada ao nome de Platão, mas sem desenvolvê-la. É o embrião da posição conceitualista, que recusa a escolha entre realismo e nominalismo.

61. E não do "singular", parece-me, como um livro recente tenta mostrar (P.Alféri, *Ockham le singulier*, Minuit, 1988): o singular não é uma figura do universal?

62. *Glossae*, ed. Geyer, p.10 citado por Jolivet, op.cit. p.42-43.

63. Ed.Geyer, p.532-533.

64. 1982, p.92.

65. Op.cit. p.94.

66. Isso já fora assinalado em Kretzmann, 1967, p.371.

67. Tudo o que diz respeito a esse período da história da lógica repousa sobre uma grande esquematização: trata-se de um período muito longo (vários séculos: até a época de Descartes). Não existe apresentação sintética da *logica moderna*. Podem-se encontrar indicações em Pinborg, 1972, e em CHLMP e em Kneale & Kneale, 1964, p.224-298; textos facilmente acessíveis em Bochenski (em francês), 1968, e em CTMPT (em inglês).

68. A história da expressão "*proprietas termini*" é brevemente traçada por J. Pinborg, 1972, p.58. Ela proviria de Prisciano, que em sua classificação das palavras começa toda definição por "*Proprium est*" (por exemplo: *nominis*...). Por volta de 1200 *proprietas* designaria o *officium* da palavra, isto é, a sua função.

69. Primeira edição crítica por Monsenhor Grabmann (*Sitzungberichte der Bayerischen Akademie der Wissenschaften*, Phil.Hist.Kl., Cahier 10, 1937), trad. ingl. de N. Kretzmann, *Introduction to Logic*, Minnesota University Press, 1966, edição mais recente e melhor por Lohr et al. em *Traditio*.

70. Ed.J.R.O'Donnell in *Mediaeval Studies*, 3, p.46-93, 1941, trad. ingl. de N.Kretzmann, Minnesota University Press, 1968.

71. CTMPT.

72. G. de Sherwood, *Introduction to Logic,* 1966 p.104-105, entre parênteses a definição de Lambert d'Auxerre in CTMPT.

73. Op. cit.

74. Lambert d'Auxerre, op.cit. p.104.

75. Pode-se também traduzir *intellectus* por "compreensão".

76. Ibid. p.107.

77. Ed. Alesio in Lamberti, *Logica,* Florença 1971, p.206.

78. Cf. do menos detalhado ao mais detalhado: De Libera, *La philosophie médiévale,* Que sais-je?, PUF 1989, p.43-44; J. Pinborg, *Die semantik des Mittelalters,* Fromann, 1972, p.61-65; J. Marenbon, *Late Medieval Philosophy,* Cambridge, 1987, p.41-47; De Rijk, op.cit. 1988, p.181-204; De Libera, op.cit. 1982, p.31-57. Texto: Lambert d'Auxerre in CTMPT, p.106-113, R. Bacon AHDLMA, 1986, p.265-276, Guilherme de Sherwood, op.cit. 1966, p.107-132. Quanto à ligação entre sofisma e suposição, ver: J. Buridan, *Sophisms on Meaning and truth,* 1966, p.97-108. Para uma iniciação neo-escolástica ver J. Maritain, *Petite logique,* Tequi, 1966, p.76-90.

79. E conseqüentemente da copulação, que é uma suposição especializada nos não substantivos, verbos e modificadores. Lambert d'Auxerre (op.cit. p.107) admite que a suposição em sentido amplo contém a copulação.

80. Op.cit. p.105.

81. Ibid., p.105-106. Deixa-se aqui de lado o difícil problema da natureza exata de HOMEM.

82. Op.cit. p.106.

83. Acrescentei a divisão entre formal e material, que se encontra, por exemplo, em Guilherme de Sherwood (cf. Cap.V, § 4).

84. A primeira dessas expressões é de Pierre Elie, a segunda de Roger Bacon.

85. C. Panaccio criticou severamente essa opinião, e ao que parece com sucesso.

86. Op. cit. p.183.

87. Nesse sentido, a sua definição é paralela à do quantificador existencial: "ao menos um".

88. Op.cit. p.111.

89. Evidentemente, é a leitura de "um" que está em jogo, segundo seja lido genérica ou referencialmente.

90. Os nomes substantivos são os nomes comuns ou próprios, abstratos ou concretos; os nomes adjetivais são por um lado os adjetivos, por outro os adjetivos nominalizados (por exemplo *album* no sentido de "o branco").

91. Guilherme de Sherwood, *Syncategoremata,* in J.R. O'Donnell ed., *Medieval Studies,* 3, 1941, 46-93.

92. *Institutions grammaticales,* II, IV, 15, citado in CHLMP, p.211. Nuchelmans, 1973, discute a identidade desses "dialéticos". Ele os identifica com os peripatéticos. De qualquer forma, Nuchelmans vê nesse trecho a origem do uso medieval desses termos.

93. Essa significação extensional (o nome significando a totalidade da sua extensão) e extraproposicional lembra Pierre Elie.

94. *Summa Logica,* cap.4, trad. J. Biard, p.15.

95. Kretzmann in CHLMP, p.212.

96. Buridan, por exemplo, consagra o 8º livro dos seus *Sofismas sobre a significação e a verdade* aos Insolúveis. Essa maneira de considerar os insolúveis como uma classe especial de sofismas é geral.

97. Essa distinção remonta a Peano; ela foi retomada por Ramsey em 1926, em um texto sobre o fundamento da matemática, retomado em *The Foundations of Mathematics and Other Essays*, 1931. Essa distinção foi contestada; nós a utilizamos aqui, pois em um nível elementar ela permanece esclarecedora.

98. Os paradoxos sintáticos mais célebres são relativos à teoria dos conjuntos. A invenção dos paradoxos se concentra em uma dezena de anos: Cantor em 1899, Russell em 1901, Richard em 1905 e Grelling em 1908. Conhecemos a formulação do paradoxo de Russell: "Será que o conjunto dos conjuntos que não se contêm a si mesmos se contém a si mesmo?"

99. Lembremo-nos de que "Platão fala falsamente" (Buridan, op.cit. 8º sofisma do livro VIII dos Insolúveis, p.196-197).

100. Cf. B. Godard, *La vérité et le menteur*, Presses du CNRS, 1990.

101. Ou pelo pseudo-Guilherme de Sherwood, pois a autenticidade não é absolutamente certa; deixamos de lado esse ponto.

102. M.L. Roure, 1962.

103. *Insolubilia Guillelmi Shyreswood (?)*, op. cit., p.248.

104. Ibid.

105. Para esse conceito, cf. Récanati, *La transparence et l'enonciation*, Paris, 1971.

106. Roure, 1971, p.215-216, para uma lista mais completa de cinco tipos de soluções.

107. Deve-se entender no sentido de "cassar um decreto por vício de forma".

108. Roure, 1971, p.216.

109. Op.cit. p.298 (tirado de *Insolubilia Thomas Bradwardinae*).

110. Prisciano (século V-VI d.C.). Autor das *Instituições gramaticais*.

111. Cf. Roure, "Le traité des propositions insolubles de Jean de Celaya", in AHDLMA 29 (1962), e "La problématique des propositions insolubles au XIII^e^ et au début du XIV^e^ siècle", ibid. 37 (1971).

112. Roger Bacon compôs uma gramática do grego.

113. Nota-se aqui um uso inverso do uso atual: teríamos uma forte tendência a denominar de "formal" o nível metalingüístico. "Material" significa aqui que consideramos a expressão materialmente, isto é, em sua inscrição literal e fônica, enquanto "formal" significa que a forma da palavra é relacionada com a forma da coisa ou do conceito.

114. É na tentativa de extrair a forma geral dessas regras que se marca talvez mais fortemente o caráter dedutivo e formal dessa gramática, no que ela antecipa a gramática universal dos Modernos.

115. Entende-se por "modistas" os gramáticos que fazem uso dos "modos" ("*modi*"), segundo o uso habitual depois de Pinborg, ainda que descobertas recentes obrigassem a modificar esse uso, pois o conceito de *modus* não é tão específico como se acreditava.

116. Thomas de Erfurt, *Speculative Grammar*, 1972, p.32s.

117. Seria possível traduzir: razão de significação. A *ratio* não é uma "faculdade" no sentido moderno. Mas essa tradução não é perigosa se se tem essa observação em mente.

118. "*ratio*" designa o elemento formal de um modo, em relação a *proprietas*, que designa o elemento material do modo.

119. Op.cit. p.145.

120. A consignificação (*consignificatio*) designa a significação ligada a uma outra significação, em um ambiente sintático: a sintaxe faz com que certas palavras só signifiquem em presença de outras.

121. Op.cit. p.137.

122. Op.cit. p.155.

123. Alféri, *Occam le singulier*, Minuit, 1990, J. Biard, op.cit. 1989 p.21-127 e em geral os trabalhos de C. Panaccio.

124. Citado em Alféri, op.cit. 1989, p.62; *Ordinatio*, distinção II, t.1, p.196, in *Opera philosophica et theologica*, São Boaventura, 1967. Aqui, há um problema ligado ao emprego de "singular" (*singularis*) por Occam: de fato, trata-se do particular lógico.

125. Ibid.

126. Alféri, op.cit. 1989, p.62.

127. In *Oeuvres choisies d'Abélard*, ed. e trad. de M. de Gandillac, 1945.

128. Essa comparação é feita sistematicamente por Jolivet em "Abélard et Guillaume d'Occam lecteurs de Porphyre" in Jolivet, op.cit. 1987, p.233-257.

129. Nas suas *Questions quodlibetales*, I, XIII, Occam insiste no fato de que "uma coisa singular não significa tudo o que é numericamente um; pois nesse sentido cada coisa é singular. Ao invés disso, falamos de 'coisa singular' para uma coisa que é não só numericamente una, mas, além disso, não é um signo natural ou convencional que pertença em comum a várias coisas significadas".

130. Occam, *Commentaire etc.* p.61.

131. Ibid.

132. Aqui, Occam retoma a terminologia da suposição. Cf. a sua *Suma Lógica*.

133. Trad. de Jolivet, op.cit. p.242.

134. Esse parágrafo é um resumo do início de *Quodlib.*, I, q. XIII.

135. Sobre a doutrina scotista da intelecção do singular, ver, em francês, Gilson, *Duns Scot. Introduction à l'étude de ses positions fondamentales*. Vrin 1952, p.543-556 ("La connaissance du singulier").

136. Op.cit. p.546.

137. Além disso, restaria examinar se Occam pode ser caracterizado como anti-realista, no sentido de Dummett (isto é, admitindo-se que haja enunciados não suscetíveis de uma verificação em um termo finito de etapas), mas isso acarretaria um exame das teses occamianas sobre o valor de verdade dos futuros contingentes, o que ultrapassa o objeto deste livro.

138. Veremos depois que Occam admite uma linguagem mental proposicional.

139. *Somme logique*, trad. J. Biard, p.43-45.

140. Contida na Parte I da *Summa logica*, traduzida para o inglês por Loux (1974) e para o francês por Biard (1988).

141. Cf. acima, p.60, Occam cita o livro XV do *De Trinitate*, contendo a melhor exposição do verbo mental em Agostinho.

142. Foi possível contestar essa tradução, porque ela forçaria uma interpretação materialista. A expressão de Aristóteles *pathemata tes psukes* não é técnica; ela designa de modo vago o que é padecer na alma (daí a plausibilidade do termo "impressão").

143. Op.cit. p.5.

144. Ver J. Marenbom, op.cit. 1987, p.105-106 & 139-143. Ele lembra que "*intentio*"

traduz no século XII os termos árabes *maq'qul* (pensamento) e *ma'na* (pensamento, conceito, idéia...).

145. Foi Brentano, em sua *Psychologie*, que forjou o sentido moderno de intenção, fazendo dela a modalidade da relação da consciência com o seu objeto: a consciência visa intencionalmente ao seu objeto; o ato de se relacionar com um objeto para a consciência é intencional.

146. Essa distinção provém de Radulphus Brito (? — 1320), cf. Marenbom 1987 p.140-143.

147. Occam, op.cit. p.10-13.

# Semântica Moderna e Nova

## Do Renascimento ao século XIX

O período que cobre ao mesmo tempo o Renascimento, o Classicismo e o Iluminismo, que se estende de 1500 a 1800, é marcado pelo abandono de vários temas e a emergência de novos. Abandona-se o método escolástico,[1] questiona-se a dependência da filosofia em relação à teologia[2] e a especulação lógica sobre a significação na linguagem cai no esquecimento. Neste último ponto, a mudança é impressionante: em três séculos, pode-se mencionar nesse campo apenas a Lógica de Port-Royal — mas muito antiescolástica, antimedieval — e a exceção de Leibniz. Todo esse período é extraordinariamente estéril em lógica.[3]

Esse período é marcado positivamente por uma orientação, um debate, um tema e um projeto. Orientação para a teoria do conhecimento (mais que para a ontologia, ou para a semântica): o método científico, ao mesmo tempo dedutivo e experimental, tem como objetivo desvelar a verdadeira natureza do conhecimento humano. O paradigma divino desaparece ou se dilui; não se trata mais de comparar conhecimento humano e conhecimento divino. O debate sobre a aquisição ou o caráter inato dos conhecimentos é o grande debate que permite ordenar simultaneamente a significação epistemológica do cartesianismo, a discussão Locke-Leibniz, e compreender alguém como Condillac. Projeto de língua universal: embora o interesse por esse projeto se enfraqueça no século XVIII, ele marca todo o período — Leibniz é apenas o resultado de uma longa gestação. Tema, por fim, da origem da linguagem. Esse tema não aparece *ex nihilo*, ele remonta, como vimos, pelo menos, aos epicuristas. Mas, combinado com a preocupação epistemológica, ele se torna dominante em toda uma parte da semântica do Iluminismo. A preocupacão epistemológica dominante é descrever a gênese das idéias, a origem dos conhecimentos. O projeto específico de todo esse período é duplo. Por um lado, o de uma língua universal para a expressão correta das idéias e a comunicação racional entre os eruditos; por outro, uma descrição lingüística das línguas vulgares tão completa quanto possível. Esses dois projetos, formalmente distintos, são complementares: é também a tomada de consciência da variedade das línguas e do seu uso[4] que leva ao desejo de uma língua universal. Como o latim deixa de ser o paradigma da língua de comunicação erudita,[5] abria-se um espaço para a invenção de uma língua artificial inteiramente destinada à análise das idéias e à sua transmissão perfeita. A reabilitação da língua vernácula faz parte do programa humanista, tão profundamente quanto a sua redescoberta da totalidade da herança das letras antigas.

## 1. A reabilitação humanista da língua vulgar: o *De Vulgari Eloquentia* de Dante

Dante é uma das fontes dessa reabilitação, para a língua italiana. Seu ensaio sobre "a eloqüência em língua vulgar" foi escrito em 1304, mas, inacabado e genialmente à frente do seu tempo,[6] só foi publicado no início do século XVI, e conseqüentemente devemos falar sobre ele aqui.[7]

Dante entende por língua vulgar a língua materna, "aquela a que as crianças são acostumadas por aquilo que as cerca (...), aquela que falamos sem nenhuma regra, imitando a nossa ama".[8] A língua vulgar é a mais nobre, é "nossa primeira língua verdadeira".[9] Só o homem, entre o animal e o anjo, possui a linguagem: os anjos gozam de uma "inefável abertura de intelecto"[10] e os animais têm o instinto. A razão, intermediária por natureza, exige um signo ao mesmo tempo sensível e racional:

> Assim, foi necessário que o gênero humano, para comunicar de ser a ser as coisas concebidas, tivesse algum signo racional e sensível: de fato, devendo receber de razão e em razão fazer entrar o seu teor, esse signo

só podia ser racional; e como nada poderia fazer o transporte de uma razão para outra a não ser por meio dos sentidos, era preciso que esse signo fosse sensível.[11]

## 2. Francis Bacon e Thomas Hobbes

No Renascimento, os humanistas criticaram vivamente a lógica dos medievais. A forma dos exemplos na literatura sofismática é, em particular, o alvo das suas zombarias.[12] Outro tema aparece: a contestação de que a lógica possa ser simultaneamente uma arte de inventar (*ars inveniendi*) e uma arte de julgar (*ars judicandi*). A lógica é considerada apenas como um instrumento de verificação dos julgamentos sobre verdades já inventadas. Encontra-se um eco mais tardio dessas críticas no *Discurso do método*:

> Mas, examinando-as [matemática, geometria, álgebra], cuidei para que a lógica e os silogismos e a maioria das outras instruções[13] servissem mais para explicar a outrem as coisas que se sabem, ou mesmo como a arte de Lulle,[14] para falar, sem julgamento das coisas que se ignoram, do que para aprendê-las.[15]

Essa atitude diante da lógica tem conseqüências enormes para a filosofia da linguagem e principalmente para a análise lógica da linguagem que se fez desde os estóicos até Occam: ficarão arruinadas em suas bases todas as tentativas de analisar a linguagem vernácula com a ajuda dos instrumentos de análise lógica. Será preciso esperar Leibniz (mas que não foi entendido nesse ponto) para que a lógica seja restabelecida como arte de inventar. Leibniz identifica a lógica à "Arte de pensar": "Por *Lógica ou Arte de Pensar (Denkkunst)* entendo a arte de usar da razão, mas não só de julgar o que já está estabelecido, mas de descobrir o que está oculto."[16] Couturat[17] comenta: "Ela não é somente a Arte de julgar e de demonstrar, como a analítica de Aristóteles, mas ainda e sobretudo a Arte de inventar, como o método cartesiano."

**Francis Bacon** (1561-1626) desenvolve sistematicamente essa redução da lógica a uma arte de julgar, principalmente em *Do progresso e da promoção dos saberes*.[18] Bacon distingue dois tipos de invenções: técnico-científica e retórico-discursiva. A lógica pertence apenas ao segundo tipo: "a lógica não pretende descobrir ciências ou axiomas das ciências".[19] "O que se chama invenção no discurso e na argumentação não é propriamente uma invenção: inventar é descobrir o que nós não conhecemos, e não reencontrar ou re-proclamar o que já sabemos."[20]

A nova arte de interpretar a natureza é, para Bacon, uma lógica, entendida como uma arte de inventar, mas indutiva e destacada da análise da linguagem. Essa lógica indutiva tem como material uma coleção de dados empíricos recolhidos por experiências sistematicamente programadas e uma série de exemplos ilustrando os sucessos do novo método, para resultar em uma série de generalizações, derivada indutivamente da história natural. O empirismo baconiano tem pois como conseqüência o desmantelamento do paradigma lógico-lingüístico medieval (com seus componentes: teoria da suposição, gramática especulativa etc.). Esse empirismo tem um alcance crítico, na doutrina tão conhecida dos Ídolos, ou falsas noções que iludem o espírito humano.[21] São os Ídolos da Praça do Mercado que estão ligados à linguagem, são os erros ligados ao comércio e às relações entre os homens. Os homens usam das palavras em suas transações e elas produzem dois tipos de ilusão: a de colocar a mesma significação sob uma palavra utilizada por dois agentes de uma transação, e a de tomar a palavra pela coisa. Esta última espécie de ilusão gera a confusão entre nomes de coisas fictícias e nomes de coisas reais. Assim, Bacon põe no centro da linguagem a função comunicativa. Bacon esboça o que se chamará mais tarde a dimensão pragmática. Assim ele efetua dois deslocamentos solidários: o da lógica dedutiva em direção à lógica indutiva, e o da semântica em direção à pragmática. Nos dois casos, trata-se de uma orientação empirista para o dado imediato: as séries de acontecimentos ou a comunicação ordinária. Como sublinhou Cassirer,[22] o empirismo abre uma nova abordagem da linguagem, em que o fato da linguagem não é relacionado com uma lógica, mas compreendido a partir da sua pura facticidade, isto é, em sua origem contingente e seu uso social e histórico.

Bacon retoma a frase de Aristóteles: "As palavras são imagens dos pensamentos e as letras imagens das palavras" (de acordo com a sua versão). O que F. Bacon introduz — mas seu homônimo do século XIII, Roger Bacon, o precedera nesse caminho —[23] é uma atenção para a diversidade dos sistemas semióticos (a linguagem perde a sua primazia natural e diferentes sistemas de signos — hieroglifos, ideogramas — poderão ser comparados): "Entretanto, não é necessário que os pensamentos sejam expressos por esse meio que são as palavras, pois tudo o que é suscetível de diferenças suficientes, que sejam perceptíveis pelos sentidos, é por natureza apto a exprimir pensamentos."[24]

Bacon cita os gestos dos surdos-mudos, os caracteres chineses. Sobre estes últimos, Bacon os descreve como "caracteres reais":

"[Na China] escreve-se com caracteres que são reais, isto é, que não exprimem letras ou palavras inteiras, mas coisas ou noções (...)"[25]

Bacon esboça a diferença entre signos diagramáticos e signos lingüísticos, observando que os signos das coisas são de dois tipos, segundo haja similitude (ou congruência) com a noção ou a coisa — o primeiro tipo é o dos hieroglifos e dos gestos ("hieroglifos efêmeros", segundo Bacon), o segundo tipo, convencional, é, *ad placitum*, o das palavras e os caracteres chineses. Bacon esboça pois uma semiótica construída sobre dois eixos, para as propriedades dos signos: congruente/não-congruente, real/não-real. Os ideogramas são reais e não-congruentes; os hieroglifos são reais e congruentes; as palavras são não-congruentes e não-reais; os gestos também são congruentes e reais, mas não duram.

Essa insistência na diversidade semiótica e lingüística, essa mudança de orientação da pesquisa filosófica sobre a linguagem não significa o abandono do interesse pela gramática. Pode-se até afirmar que Bacon é uma etapa entre a gramática especulativa dos medievais, cuja orientação fundamental ele conserva, e a gramática geral do Classicismo. Distingue gramática popular, centrada na aquisição, e "gramática filosófica", cuja finalidade é o exame do "poder da natureza das palavras, enquanto estas são vestígios de passos e marcas da razão".[26] Entretanto, Bacon se distancia das hipóteses da gramática especulativa, referentes à correspondência entre *modi significandi* e *modi intelligendi*: "Essa espécie de analogia entre as palavras e a razão é tratada *sparsim* [aqui e ali], por fragmentos, e não de modo completo."[27]

Bacon desempenhou um papel de inspirador na constituição de um ideal científico coletivo, que se encarnou, na Inglaterra, na criação da Royal Society, antes da criação da Academia de Ciências na França. A Royal Society formulou o projeto de uma língua universal, projeto que resultou na obra de J.Wallis, *Essay towards a real character and a philosophical language* (1668). Esse laço entre projeto de língua universal e ideal acadêmico será reencontrado em Leibniz.

Descartes, que não deixou texto sistemático sobre a linguagem, mas cuja obra é fértil em observações sobre o uso filosófico das palavras[128] recusara, antes do esboço de Wilkins, toda tentativa de língua universal na carta a Mersenne de 20 de novembro de 1629:

> (...) a invenção dessa língua depende da verdadeira filosofia, pois é impossível, de outra forma, enumerar todos os pensamentos dos homens e pô-los em ordem, nem apenas distingui-los, de modo que eles sejam claros e simples, o que é, em minha opinião, o maior segredo que se possa ter para a boa ciência. E se alguém tivesse explicado bem quais são as idéias simples que estão na imaginação dos homens, das quais se compõe tudo o que eles pensam, e que isso fosse recebido por todo o mundo, eu ousaria esperar depois uma língua universal muito fácil de aprender, pronunciar e escrever, e, o que é o principal, que ajudasse o julgamento, representando-lhe tão distintamente todas as coisas que lhe seria quase impossível enganar-se; em vez do contrário, as palavras que temos quase sempre têm apenas significações confusas, às quais o espírito dos homens se acostumaram de longa data, sendo essa a causa de que ele não entenda quase nada perfeitamente. Ora, penso que essa língua é possível, e que se pode encontrar a ciência que depende disso...[29]

**Hobbes** (1588-1679) só pode ser compreendido na linhagem de Occam. Ele radicaliza o nominalismo occamista, reduzindo os universais a nomes:

> Entre as denominações, algumas são próprias e particulares a uma única coisa; assim, Pedro, João, este homem, esta árvore. E algumas são comuns a um grande número de coisas, como homem, cavalo, árvore, cada uma das quais, mesmo constituindo uma única denominação, não deixa de ser a denominação das diversas coisas particulares; considerando-se o conjunto de todas essas coisas que se chama um universal, não há nada de universal no mundo, fora das denominações; pois as coisas nomeadas são todas individuais e singulares.[30]

Hobbes recusa explicitamente toda interpretação conceitualista ou mentalista do nominalismo — o universal é apenas, rigorosamente falando, um nome: "Essa palavra 'universal' nunca é o nome de uma coisa qualquer que existe na natureza, nem um fantasma ou uma idéia formada no espírito, mas sempre o nome de uma palavra ou de um nome."[31]

Expõe a gênese da ilusão realista, usando de uma analogia com a representação pictural:

Esse valor universal de uma denominação aplicável a várias coisas foi e ainda é a razão pela qual os homens pensam que são as próprias coisas que são universais. (...) De fato, se alguém deseja que um pintor faça um retrato de homem, o que equivale a dizer um retrato de homem em geral, não tem outra intenção senão deixar ao pintor a escolha do modelo, que será necessariamente tomado entre os homens que existem, existiram e existirão talvez, e dos quais nenhum é universal. Mas se pedem ao pintor que faça o retrato do rei, ou de qualquer pessoa particular, a escolha do pintor é limitada a uma pessoa, feita por quem pede o retrato. É pois evidente que só as denominações são universais, que também são por essa razão chamadas indefinidas, pois nós não as limitamos a nós mesmos, mas deixamos a sua apreciação ao ouvinte, enquanto uma denominação particular é limitada ou restrita a uma das múltiplas coisas que ela significa; é o caso quando dizemos "este homem", designando-o com o dedo, ou por seu nome próprio ou de qualquer outro modo semelhante.[32]

O exemplo do retrato permite medir o sentido do argumento nominalista em Hobbes: pintar um homem em geral é pintar um homem particular, mas um homem qualquer, do mesmo modo que uma denominação universal é simplesmente uma denominação que o ouvinte pode preencher a seu gosto — se eu lhe falo do homem em geral, ele pode imaginar o homem que quiser. É a mostração, por meio de um pronome demonstrativo, que assegura, como o nome próprio, a rigidez da designação particular.

Hobbes herda também de Occam uma concepção proposicional da linguagem mental. Ele até define a palavra como passagem do discurso mental para o discurso verbal:

O uso geral da palavra é transformar nosso discurso mental em discurso verbal e o encadeamento dos nossos pensamentos em encadeamento de palavras; isso em vista de duas vantagens: primeiro, registrar a consecução dos nossos pensamentos (*conscriptio cogitatorum*) (...) O outro uso consiste, quando muitos se servem das mesmas palavras, no fato de que os homens significam um ao outro, pela organização e relação dessas palavras, o que eles concebem ou pensam de cada questão. (...)[33]

No primeiro uso, as denominações são marcas; no segundo uso, signos. Uma marca é assim definida: "Uma MARCA é um objeto perceptível pelos sentidos que um homem estabelece voluntariamente para si mesmo, a fim de se lembrar de alguma coisa passada..."[34] Os signos são expressão das paixões: "(os homens) significam um para o outro (...) o que desejam, ou o que temem, ou o que desperta neles alguma outra paixão. *Nesse uso*[35] as palavras são chamadas signos."[36]

Hobbes cita aqui as duas paixões elementares: o desejo e o temor. Marca do pensamento, signo da paixão, a palavra é pois a vítima privilegiada dos abusos, que Hobbes enumera: "significação flutuante", uso metafórico, manipulação ou mentira ("dar como sua vontade aquilo que não o é").[37] O último desses abusos é talvez o mais importante: consiste em ferir alguém com a palavra. A violência pode pois exercer-se de modo puramente verbal. Hobbes admite que essa violência pode exercer-se de maneira justificada de governante para governado: "não é nada mais do que um abuso da palavra ferir com a língua, a menos que se trate de um homem que somos obrigados a governar: pois então isso não é feri-lo, mas corrigi-lo e emendá-lo".[38]

Basta que a violência verbal seja tomada em uma relação de governo para que ela troque de sinal. A natureza política da relação transforma o abuso em ato benéfico. Não se poderia pôr a linguagem mais claramente no centro de um dispositivo complexo de relações que lhe são externas, e em que entram paixões, relações de legitimidade, agressão pura etc.

O uso dos nomes como marcas é logicamente primeiro em relação ao seu uso como signos: "os nomes, quando se consideram simplesmente por si mesmos, são marcas, (...) mas não podem ser signos de outro modo a não ser estando dispostos e ordenados no discurso".[39]

Entretanto, os nomes como marcas, condições dos signos, não podem bastar para a significação: é preciso "o tempo, o lugar, o conteúdo, os gestos e o estado de espírito daquele que fala"[40] — o que Hobbes chama "o contexto do discurso" (*the contexture of the speech*).[41]

Daí, não se poderia concluir que Hobbes reduz a linguagem a um instrumento político. Ele marca, igualmente e talvez mais, a radicalização do momento nominalista em duas direções: a identificação do pensamento a um cálculo (e logo a um tipo de linguagem — de que Leibniz se lembrará) e a redução do universal a um puro nome (nem mesmo a um conceito).

O discurso (*speech*) é realmente identificado por Hobbes a um raciocínio, e este reduzido a um cálculo:

> Quando se raciocina, não se faz mais do que conceber uma soma total a partir da adição das partes; ou conceber um resto, a partir da subtração

pela qual uma soma é retirada de uma outra. Se isso se faz com a ajuda de palavras, é o mesmo que conceber a consecução que vai das denominações das partes à do todo, ou a consecução que vai das denominações do todo e de uma parte à da outra parte.[42]

Hobbes não fez mais do que pensar na sua generalidade esse programa de redução do pensamento a um cálculo, aliás reduzido às operações aritméticas elementares. É Leibniz que saberá, principalmente com o cálculo das relações, obter um instrumento formal bastante poderoso para realizar o programa de Hobbes.

## 3. Descartes, Port-Royal

Mencionamos **Descartes** a propósito do projeto de língua universal. Uma outra parte da sua teoria da linguagem diz respeito à especificidade da linguagem humana. Os animais são autômatos e podem produzir falas em resposta a solicitações materiais, mas não podem "declarar seus pensamentos":

(É fácil) conceber que uma máquina seja feita de tal modo que profira palavras, e até que profira algumas a propósito das ações corporais que farão algumas mudanças em seus órgãos: como quando a tocamos em algum lugar, ela pergunte o que queremos lhe dizer; se a tocamos em outro lugar ela grite que a machucamos, e coisas semelhantes; mas não que ela as arranje em sua presença, assim como os homens mais broncos podem fazer.[43]

Ao contrário dessa máquina falante, o homem, mesmo imbecil, compõe os seus pensamentos:

Pois é uma coisa muito notável que não haja homens tão broncos e estúpidos, sem excetuar os insensatos, que não sejam capazes de arranjar diversas palavras e compor com elas um discurso pelo qual façam entender o seu pensamento; e que, ao contrário, não há outro animal, por mais perfeito e felizmente nascido, que faça algo semelhante. Isso acontece não porque eles tenham falta de órgãos, pois vemos que as gralhas e os papagaios podem proferir palavras assim como nós, e todavia não podem falar assim como nós.[44]

Chomsky,[45] que é um dos que souberam enfatizar esses textos, insiste no fato de que Descartes foi o primeiro a ressaltar o "aspecto criador" da linguagem humana, faculdade cuja característica é "abrir possibilidades sem limite e não depender de nenhum estímulo".[46] Chomsky distingue pois no texto de Descartes "duas propriedades [da linguagem]: a de ser ilimitada e a de ser independente de qualquer estímulo".[47] Cita, para apoiar essa interpretação, fragmentos de correspondência, entre os quais este trecho de uma carta a H. More (1649):

Essa linguagem [que possa se relacionar apenas com o pensamento e não com o impulso natural] é de fato o único signo certo de um pensamento latente no corpo; todos os homens fazem uso dela, mesmo aqueles que são estúpidos ou privados de espírito, aqueles a quem falta a língua e os órgãos da voz, mas nenhum animal pode usar dela; é por isso que se pode tomar a linguagem como a verdadeira diferença entre os homens e os animais.[48]

A significação dos "impulsos naturais" (fome, medo, desejo...) para os animais é fixa, ela é do tipo estímulo-resposta; ela é da ordem do mecânico. Em contrapartida, significar o pensamento escapa a toda mecânica, pois isso supõe uma adaptação infinita. Antes de mostrar que o cartesianismo lingüístico deu nascimento a duas concepções diferentes, que eram apenas virtuais, deve-se observar que uma leitura atenta de textos não abertamente lingüísticos proporcionaria visões novas sobre as relações entre pensamento e linguagem em Descartes. Lembre-se o célebre pedaço de cera.[49] Descartes alerta explicitamente, neste trecho, contra um certo tipo de ilusão gerado pela linguagem, o da identidade do objeto:

Entretanto, eu não me surpreenderia, quando considero quanta fraqueza tem o meu espírito, e quanta tendência o leva insensivelmente para o erro. Pois, ainda que sem falar, considero tudo isso em mim mesmo, as palavras todavia me detêm, e quase sou enganado pelos termos da linguagem comum; pois dizemos que vemos a mesma cera, se a mostram a nós, e não que julgamos que é a mesma, já que ela tem a mesma cor e a mesma forma (...)[50]

Descartes distingue bem duas coisas: dizer que *x* é o próprio *a*, e julgar que *x* é o próprio *a*. Os "termos da linguagem" me enganam na medida em que eles me fazem confundir a "visão dos olhos" com "a inspeção do espírito". O "poder de julgar" não é pois a simples seqüência natural da linguagem: esta é demasiadamente sujeita ao simples nível dos sentidos. É desse modo que a linguagem me conduz a postular, a propósito de uma substância simples — a cera — uma identidade que é, de fato, apenas uma ilusão perceptiva. Nesse sentido, a linguagem comum me "detém", no momento em que estou a ponto de me desfazer dessa crença mentirosa na unidade puramente fenomenal da substância material; ela constitui um último obstáculo.

Hobbes[51] objeta a Descartes, sobre esse trecho, que o raciocínio sendo apenas uma combinação de nomes (cf. acima) nada nos garante realmente que tenhamos uma visão justa das próprias coisas, e logo que nada nos permite distinguir com segurança imaginação e entendimento:

> Que diríamos agora se talvez o raciocínio não fosse nada mais do que uma reunião e um encadeamento de nomes pela palavra é? Daí se seguiria que pela razão não concluímos absolutamente nada quanto à natureza das coisas, mas somente quanto às suas apelações, isto é, que por ela, vemos simplesmente se reunimos bem ou mal os nomes das coisas, segundo as convenções que fizemos à nossa fantasia quanto às suas significações.

A resposta de Descartes, que contém a sua semântica, está contida em duas afirmações: por um lado, "a reunião que se faz no raciocínio não é a dos nomes, mas realmente a das coisas significadas pelos nomes; por outro lado, se algo é significado pelas palavras, é a coisa e não a palavra".[52] Descartes, entretanto, assim como Hobbes, não conclui que seja preciso voltar as costas a essa linguagem comum: "Um homem que tenta elevar o seu conhecimento além do comum deve ter vergonha de dar ensejo a duvidar das formas e dos termos de falar do vulgar"[53], escreve ele um pouco depois. O poder de ilusão latente da linguagem comum não constitui um motivo para se desviar e forjar uma linguagem filosófica pedante e refinada. Essa é uma lição que merece sempre ser meditada.

O cartesianismo lingüístico tem duas descendências: o materialismo e, através de Port-Royal, a gramática geral. O materialismo, com Géraud de Cordemoy, La Mettrie, Condillac, aprenderá a lição dos autômatos, dos animais-máquinas, e a aplicará ao homem, afastando a dimensão do espírito, traindo talvez a intenção profunda de Descartes.

O que existe de cartesianismo lingüístico em **Port-Royal** está quase inteiro contido na teoria da idéia. Foucault[54] distinguiu esse esquema da seguinte maneira: "A relação da idéia com seu signo é pois uma especificação ou antes um desdobramento da relação da idéia com seu objeto."[55] Em outros termos, menos lapidares, de um exegeta recente, que avaliou a intuição de Foucault: "A tese central que essa semiologia enuncia é que a palavra 'exprime' uma idéia, que 'representa' por sua vez uma coisa." (Dominicy)[56]

## 4. Locke

Locke divide assim as ciências no fim do *Ensaio sobre o entendimento humano*:

— física ou filosofia natural: "conhecimento das coisas como elas são em sua própria existência, em suas constituições, propriedades e operações"[57]

— a prática: "ensina os meios para bem aplicar nossas próprias potências e ações, para obter coisas boas e úteis"[58]

— a semiótica ou conhecimento dos signos, ou lógica: "seu emprego consiste em considerar a natureza dos signos dos quais o espírito se serve para entender as coisas, ou para comunicar o seu conhecimento aos outros"[59]

A tese central (concluída a propósito de Port-Royal) de que a palavra significa unicamente na medida em que exprime uma idéia, está presente em Locke, sob a forma do desvio necessário pela linguagem.

Há uma relação tão estreita entre as idéias e as palavras, e nossas idéias abstratas e nossas palavras gerais têm uma relação tão constante que é impossível falar clara e distintamente do nosso conhecimento, que consiste inteiramente em proposições, sem considerar primeiramente a natureza, o uso e a significação da linguagem. (II 33-19)[60]

A pesquisa sobre as palavras, que forma todo o livro III do *Ensaio*, se abre com considerações gerais que fazem da linguagem um dom de Deus para a sociabilidade humana: a linguagem é "o grande instrumento e a ligação comum dessa sociedade". O homem tem naturalmente a capacidade de sons articulados, mas para que a palavra exista, é preciso que uma seqüência de sons articulados remeta a uma "concepção interior":

Era pois necessário que além dos sons articulados o homem fosse capaz de se servir desses sons como signos de concepções interiores, e estabelecê-los como marcas das idéias que temos no espírito, a fim de que assim pudessem ser manifestadas aos outros, e assim os homens pudessem comunicar-se os pensamentos que têm no espírito. (III, 1-2).[61]

Através das palavras, comunicam-se as idéias.

Por conseguinte, é das idéias daquele que fala que as palavras são signos, e ninguém pode aplicá-las imediatamente como signos a nenhuma outra coisa, senão às idéias que ele próprio tem no espírito, pois usá-las de outra forma seria torná-las signos das nossas próprias concepções e aplicá-las entretanto a outras idéias, isto é, fazer ao mesmo tempo com que elas fossem e não fossem os signos de nossas idéias, e por isso mesmo que elas não significassem nada. (III, 2-2)[62]

Logo, a linguagem é privada: as palavras são signos das minhas próprias idéias, e é somente através das minhas idéias que eu posso me representar as do outro. Isso significa que eu devo primeiro ter uma idéia da idéia do interlocutor antes de fazer uma palavra corresponder a ela. A linguagem continua pois sendo interna a cada esfera de representações, a cada sistema de idéias.

Entretanto, ao lado dessa função de expressão das idéias, as palavras têm uma outra função, a de referir às coisas. Foi possível mostrar[63] que essa função referencial permite que a teoria lockiana da significação escape a um solipsismo — isto é, uma concepção em que tudo aconteceria na vida mental do locutor. Um texto estabelece a distinção entre significar e referir:

As palavras significam (*stand for*) na boca de cada homem as idéias que ele tem no espírito (...). Assim, uma criança que observa apenas uma brilhante cor amarela no metal que ouve ser chamado (*called*) "ouro" aplica (*applies*) somente a palavra ouro à idéia que ela tem dessa cor e a nenhuma outra coisa. É por isso que ela dá o nome (*calls*) de ouro à mesma cor que ela vê na cauda de um pavão. (III 2-3)[64]

Nesse texto, Locke distingue a significação de uma idéia por uma palavra da referência pela palavra a uma coisa. Deve-se pois distinguir a aplicação da idéia de ouro a uma realidade, da apelação pela palavra ouro (que significa essa idéia) de uma ou várias realidades (aqui o metal e os reflexos da cauda de pavão). As palavras têm realmente um sentido em função das idéias que elas significam, mas elas referem em virtude desse sentido.

Como as palavras podem significar idéias gerais? Este é o problema do nominalismo, e mais precisamente o da natureza exata do nominalismo de Locke, em parte na linha do de Hobbes. Locke retoma o axioma ontológico nominalista de Occam:

Tudo o que existe são coisas particulares...
Pois tudo o que existe é particular... (III-1 & 6)[65]

e se interroga sobre o modo de existências das "naturezas universais que esses termos (gerais) significam" (*id.*). Para Locke, essas naturezas universais (que os realistas medievais identificavam com os Universais) não são nada mais do que idéias abstratas. Locke dá dois exemplos, um tirado da observação da aquisição dos conhecimentos pela criança, o outro, polêmico, dirigido contra o realismo escolástico dos gêneros e das espécies (III-7 a 9). As crianças chegariam à idéia geral de homem por abstração sobre particulares: mamãe, a ama, "afastando apenas da idéia complexa que elas tinham de Pedro, Jaime, Maria e Elizabeth o que é particular a cada um deles".[66]

Locke explica pelo mesmo mecanismo a formação das noções de gêneros e de espécies, que representam um passo suplementar na abstração, em virtude do princípio: "... cada termo mais geral significa uma certa idéia que é apenas uma parte de algumas daquelas que estão contidas sob elas."(III-9)[67] Enfim, as idéias abstratas são identificadas por Locke com essências nominais:[68]

> Uma outra coisa ainda que pode mostrar que essas idéias abstratas, designadas por certos nomes, são as essências que concebemos nas coisas, é que temos o hábito de dizer que elas são inengendráveis e incorruptíveis, o que não pode ser verdadeiro sobre as constituições reais das coisas, que começam e perecem com elas. (...) Pois seja o que for que aconteça com Alexandre e com Bucéfalo, sempre se supõe que as idéias às quais ligamos os nomes de homem e de cavalo continuam as mesmas, e por conseguinte as essências dessas espécies são conservadas em sua integridade, quaisquer que sejam as mudanças que aconteçam a algum indivíduo, ou mesmo a todos os indivíduos dessas espécies. (...) Daí se segue, evidentemente, que as essências não são outra coisa senão idéias abstratas, e por isso mesmo diz-se que elas são imutáveis; que essa doutrina da imutabilidade das essências é fundada sobre a relação que é estabelecida entre essas idéias abstratas e certos fundos considerados como signos dessas idéias, e que ela será sempre verdadeira, enquanto o mesmo nome pode ter a mesma significação. (III-19)[69]

## 5. Leibniz

É fácil reunir indicações sobre a lingüística notavelmente coerente de Descartes, mas é enorme e desorientadora a riqueza dos materiais leibnizianos referentes à linguagem. Há uma única obra acabada nessa área — o livro III dos *Novos Ensaios* —, mas que obra!

Dissipada essa primeira impressão, nasce uma perplexidade: Leibniz é ao mesmo tempo um dos iniciadores da gramática comparada,[70] e o precursor da lógica simbólica, com o seu projeto de característica universal. Onde situar a unidade do pensamento leibniziano sobre a linguagem? Na extensão desde o projeto enciclopédico à diversidade das línguas? Na crítica paciente de todos os mitos de origem? Na procura de uma comunicação racional entre os eruditos? A unidade tem sua fonte na ligação estreita que existe entre característica e enciclopédia no sistema de Leibniz.[71]

A posição histórica de Leibniz (no que se refere à linguagem e às línguas) é marcada ao mesmo tempo pelas esperanças do Renascimento e os projetos da idade clássica: finalmente nenhum pensador confundiria melhor a hábil sucessão das *episteme* de Foucault. Esperanças do Renascimento: Leibniz participa da descoberta (maravilhada) da multiplicidade e da diversidade das línguas vernaculares; ele continua a refletir nas categorias míticas de Adão, de Babel, mesmo tendo que recusar todo monogenetismo estrito, isto é, a unicidade de uma origem antropológica e lingüística da humanidade. Ainda que ele não pense que a língua adâmica possa ser atestada ou reconstruída, ou pior, identificada (ao hebraico, ao grego, ao alemão...), ele conserva o paradigma de uma língua em que tudo é apelativo — daí a sua tese, segundo a qual finalmente todo nome é apelativo: "E é certo que todos os nomes próprios ou individuais foram originariamente apelativos ou gerais."[72]

Leibniz, nesse sentido, é o descendente de Calvino, que se insurge contra a multiplicidade das línguas:

> De fato, devemos considerar a diversidade das línguas como um prodígio, pois na medida em que a língua é a imagem e a representação viva do espírito, como é que os homens, que são participantes de uma mesma razão, e nascidos para viver em sociedade uns com os outros, não usam entre si uma mesma língua? Moisés nos ensina pois que esse vício é acidental, pois ele repugna a natureza.[73]

Leibniz funda uma parte da sua obra filológica não sobre a procura de uma linguagem original perdida (como por exemplo Anathase Kircher)[74] mas sobre a divisão dos filhos de Noé: Jafé, Sem e Set. Leibniz não exclui totalmente a possibilidade de uma monogênese radical, mas recusa-se a remontar, na ordem da explicação, além dessa divisão em três famílias de línguas (jaféticas, aramaicas e semíticas). Ele situa pois a gênese empírica não no mito de origem mas naquilo que, imediatamente depois do Dilúvio, inaugura a história — história ainda fabulosa, como diria Vico. O que Leibniz recusa categoricamente é pois a idéia tão difundida de uma monogênese hebraica, idéia que está no fundamento das especulações cabalísticas: "Não é nos mistérios da língua hebraica que se deve procurar a cabala; não é em outros idiomas, na significação arbitrária dos caracteres; é preciso procurá-la em todas as línguas, em seu verdadeiro sentido e no uso exato das palavras."[75]

Se há uma cabala, um conhecimento secreto oculto por trás das palavras, ela deve ser procurada em todas as línguas. Nesse ponto, Leibniz está na posição oposta à de Jacob Boehme. Para este, a língua adâmica é a cifra de toda língua vernacular: assim como a criação leva a assinatura oculta do seu criador em todo detalhe criado, todo detalhe lingüístico encerra, como que em um segredo, os arcanos da língua adâmica.[76] Leibniz não postula, como ele, a habitação do primitivo no derivativo. Sua recusa da língua adâmica como razão de explicação provém do fato de que ele não pode perceber conexão física ou convencional, conexão que Boehme julga acessível à sua intuição mística.

> Se tivéssemos a língua primitiva em sua pureza, ou bastante conservada para ser reconhecida, seria necessário que aparecessem as razões das conexões, seja físicas, seja de uma instituição arbitrária, sábia e digna do primeiro autor. Mas, supondo-se que nossas línguas sejam derivativas, quanto ao fundo elas têm, não obstante, algo de primitivo em si mesmas, que sobreveio em relação a palavras radicais, formadas posteriormente nela por acaso, mas sobre razões físicas.[77]

A procura de palavras radicais, isto é, a procura etimológica, o projeto de língua universal e a atividade incansável de recolhimento de dados gramaticais e etnolingüísticos *avant la lettre* provêm desse imperativo absoluto de conexões fundadas em razão: as palavras, em sua forma sonora, devem ser motivadas (conexão física de significância material), uma língua idealmente racional é possível (conexão institucional, convenção da razão) e a diversidade das línguas deve exprimir a própria história dos povos (conexão física de determinação externa ou histórica).

De fato, as línguas são os mais antigos monumentos da história: "Penso que, de tudo o que é não-escrito, as próprias línguas são os melhores e maiores restos significativos do antigo mundo, dos quais se poderiam tirar luzes para a origem dos povos, e muitas vezes para a das coisas."[78]

Não há história sem método e esse método deve basear-se na etimologia, ou mais exatamente no método etimológico. Este repousa, como toda ciência, sobre o princípio de razão (daí a motivação do significante) e o princípio de continuidade (daí o ideal de filiação sem rupturas). O estudo das línguas pertence, para Leibniz, ao domínio das ciências históricas, mas esse domínio obedece às mesmas leis que a física. Assim ele explica o duplo caráter histórico e físico da linguagem: "Só confio nas etimologias quando elas vão, de língua em língua, seguindo a vizinhança de situação e não *per saltum*."[79]

Leibniz combina dois tipos de operações: o estabelecimento de uma filiação no interior de uma língua (recurso interno à história da língua), e a aproximação entre dois *etymon* de línguas diferentes. Aos olhos da gramática comparada, essa combinação não é irrepreensível, mas, utilizada adequadamente, permitiu a Leibniz postular o parentesco das línguas finesa e magiar (grupo das línguas fino-úgricas).

Ao lado dos princípios de razão e de continuidade, a analogia desempenha um papel central na arquitetura da vertente filológica da lingüística leibniziana. A analogia como método repousa sobre a analogia como estrutura ontológica: existe uma "conveniência analógica entre a coisa e o signo", uma "analogia lógico-gramatical".[80] No ponto em que a lingüística cartesiana afirma como necessário o desvio pela idéia — no triângulo semiótico mencionado acima, nada corresponde, entre a palavra e a coisa, às relações de expressão (palavra/idéia) e de representação (idéia/coisa): Leibniz afirma diretamente uma relação de conveniência analógica, que é o fundamento da expressão e da representação. Essa relação é provavelmente uma espécie de entre-expressão entre os dois aspectos, material e intelectual, do signo.

As pesquisas sobre a língua universal (*lingua realis, universalis ou rationalis*) detectadas por Couturat[81] são ligadas às pesquisas sobre as línguas vernáculas, na medida em que uma das estratégias de Leibniz será simplificar as línguas existentes, principalmente o latim, para chegar a uma língua uniforme, podendo ser aprendida e manejada rapidamente. Mas ao lado dessa estratégia mínima, que aliás ele se contenta em retomar[82] e sistematizar, a grande ambição leibniziana é levar à frente o projeto baconiano de uma característica baseada na análise racional do saber, projeto que recebera já em 1666 uma realização coerente com Wilkins e Dalgarno.[83] Para Leibniz, a construção de uma língua universal supõe a descoberta das noções simples que estão no fundamento de todas as nossas idéias derivadas, a elaboração de uma combinatória que permita, depois da análise, recompô-las racionalmente, segundo um processo que possa ser expresso em uma característica, isto é, um conjunto de caracteres, ou signos materiais, manejáveis e reproduzíveis, sobre os quais o pensamento possa se exercer, sem risco de erro, segundo o modelo de uma computação. A verdadeira realização dessa língua universal não é certamente o esperanto, como supôs Couturat, mas evidentemente a *Begriffschrift* de Frege — que aliás remete explicitamente a ele, mas através de um conhecimento muito limitado.

Como explicar, em presença de um tal projeto, que antecipa a idéia de uma língua formular das operações lógicas do pensamento, a persistência de um cratilismo leibniziano? Chama-se cratilismo a doutrina segundo a qual a escolha da forma sonora das palavras é motivada. Como sabemos, duas teses estão presentes: convencionalismo ou naturalismo. O cratilismo — o fato de tomar as etimologias de Crátilo a sério — é um naturalismo. Ele se opõe à tese clássica do arbitrário do signo, seja sob sua forma aristotélica (imposição das palavras *ad placitum*), seja sob sua forma saussuriana (arbitrário da relação significante/significado). A motivação do som é uma conseqüência do princípio de razão: se nada é sem razão, então existe forçosamente uma razão pela qual "oeil" designa, em francês, e "Auge", em alemão, o órgão da visão. As etimologias leibnizianas são complexas. Bastará um exemplo para observar o entrelaçamento dos diferentes motivos teóricos. Seja a etimologia de *Recken*[84] (estirar). Leibniz utiliza dois tipos de considerações: a) esse termo faria parte de uma série (*rege, rige, regula, regere, rex...*), em que o traço comum é a idéia de extensão de uma linha reta, b) a natureza dos sons (R e K), que expressariam por um lado o movimento violento (R) — movimento de extensão — e por outro lado o movimento de parada (K) — a parada da extensão. É o elemento (b) que pertence propriamente ao cratilismo. Leibniz utiliza de fato considerações bastante heterogêneas: pesquisa dos universais semânticos no léxico (a idéia de "retitude" na série etimológica), pesquisa de uma motivação sonora em que os sons imitam movimentos físicos.

É na idéia de conexão que se deve procurar a fonte última da recusa do caráter arbitrário da significação. No texto sobre a conexão entre a coisa e a palavra,[85] a conexão é dita "certa e determinada", e Leibniz enfatiza a concordância (*consensus*) dos sons com os afetos.

O domínio da língua, para Leibniz, é dividido segundo o desdobramento da ciência geral em caraterística e enciclopédia: à característica correspondem os projetos de gramática racional e de língua universal, enquanto à enciclopédia correspondem as gramáticas e as descrições principalmente etimológicas das línguas existentes. Os projetos característicos são auxiliares da lógica, e logo da arte de inventar, enquanto as descrições das línguas vernáculas são auxiliares da história, e logo da arte de julgar. Leibniz é consciente dessa relação do particular com o universal na ordem do gramatical: "aquele que escreveria uma gramática universal faria bem em passar da essência das línguas à sua existência e comparar as gramáticas de várias línguas".[86]

## 6. Berkeley e a crítica das idéias abstratas

A crítica por **Berkeley** (1685-1753) das idéias abstratas de Locke é um momento importante da história da semântica.[87] Essa crítica o levou a questionar o axioma do cartesianismo lingüístico, que estipula que uma palavra, para ser significativa, deve exprimir uma idéia. A relativa modéstia da influência da filosofia da linguagem de Berkeley não deve fazer esquecer a profundidade das suas opiniões. Berkeley é provavelmente o primeiro a compreender os limites de uma semântica fundada sobre a relação da palavra com a idéia.

A doutrina das idéias abstratas de Locke se baseia na tese de que elas são, em última análise, ficções:

> As idéias abstratas não são nem tão fáceis quanto as idéias particulares para as crianças ou para um espírito ainda não exercitado. (...) se refletirmos cuidadosamente, concluiremos que as idéias gerais são ficções e invenções do espírito portadoras da dificuldade e que não se apresentam tão facilmente quanto queremos crer. Por exemplo, é preciso algum esforço e alguma habilidade para formar a idéia geral de triângulo (que entretanto não é a mais abstrata, mais extensa e mais difícil) pois ela não deve ser nem obliquângulo, nem retângulo, nem equilátero, nem isósceles, nem escaleno, mas ao mesmo tempo tudo isso e nada disso. Efetivamente, uma idéia na qual certas partes de várias idéias diferentes e incompatíveis são reunidas é algo de imperfeito que não pode existir. (...) É correto considerar tais idéias como uma marca da nossa imperfeição.[88]

Assim, as idéias abstratas, em sentido estrito, não existem. As idéias de "Cavalo", "Sol", "Água", "Ferro" são apenas combinações de idéias simples que "se imaginou existirem juntas sob esta ou aquela denominação: todas essas idéias se supõem subsistir e ser, por assim dizer, ligadas a um comum sujeito desconhecido, que não é inerente em nenhuma outra coisa".[89] As idéias abstratas são pois reuniões de idéias simples, mas como nada é realmente significado por essas idéias abstratas, elas são apenas nomes. A abstração é apenas uma relação semiótica: "As palavras se tornam gerais quando fazemos delas os signos de idéias gerais."[90]

Berkeley afirma que uma palavra se torna geral, não quando é signo de uma idéia geral, mas quando é signo de várias idéias particulares sugeridas de maneira indiferente. A palavra "triângulo", segundo Berkeley, não seria pois signo de uma idéia geral de triângulo, nem isósceles, nem escaleno etc., mas de uma multiplicidade de idéias de triângulos particulares. Se eu digo "Um triângulo é uma figura geométrica", isso não significaria que eu acrescente a essa idéia geral de triângulo a parte de idéia "ser uma figura geométrica", mas que eu afirmo, a respeito de qualquer triângulo, que ele é uma figura geométrica.

> Assim, quando demonstro uma proposição sobre os triângulos, deve-se supor que tenho em vista a idéia universal do triângulo; mas não se deve entender que posso forjar a idéia de um triângulo que não seria nem equilátero, nem escaleno, nem isósceles; entenda-se apenas que o triângulo particular que eu considero, pouco importa de que tipo ele seja, representa igualmente todos os triângulos retilíneos, está em lugar deles, e neste sentido é *universal*.[91]

Berkeley contesta pois que toda palavra represente uma idéia, ou esteja em lugar dela. O exemplo que ele fornece é o da cor: a palavra "azul" não representa uma idéia, a idéia de azul, mas simplesmente a cor azul, sempre dependente de uma superfície — não há idéia de azul independentemente da sua extensão.[92] A tese antilockiana de Berkeley, oposta ao cartesianismo lingüístico, é que as palavras podem ser significativas sem representar idéias, ou estar em lugar delas. Berkeley vê em um certo número de termos psicológicos, como "eu", "pessoa", "volição", exemplos de palavras que não representam idéias, mas operações da mente.

## 7. A análise da linguagem: Maupertuis, Condillac, Lambert

**Maupertuis** (1698-1759), com suas *Reflexões filosóficas sobre a origem das línguas e a significação das palavras* (1748), está na origem de uma renovação do interesse pelas questões de semântica ligadas à questão da origem da linguagem, concretizada por um debate que vai ocupar toda a segunda parte do século XVIII.[93] O *Ensaio* de Rousseau é parcialmente exterior ao debate aberto por Maupertuis e que é de ordem epistemológica. Rousseau reflete sobre a origem da linguagem, no interior de um pensamento da sociabilidade, sociabilidade manifestada por excelência na música e na melodia.

Maupertuis realiza uma das primeiras "experiências metafísicas", que o Iluminismo tanto apreciou.[94] Essa experiência, em sua nudez, é a da perda de toda memória, e nos situa na radicalidade de um começo absoluto:

> Suponho que, com as mesmas faculdades que tenho de perceber e raciocinar, tivesse perdido as lembranças de todas as percepções que eu tivesse tido até aqui, e de todos os raciocínios que eu fiz; que depois de um sono, que me teria feito esquecer tudo, eu me encontrasse subitamente atingido por percepções que o acaso me apresentaria; que a minha primeira percepção fosse, por exemplo, aquela que experimento hoje, quando digo *vejo uma árvore*; que depois eu tivesse a mesma percepção que eu tenho hoje quando digo *vejo um cavalo*: logo que eu recebesse essas percepções, eu veria imediatamente que uma não é a outra, procuraria distingui-las, e como eu não teria linguagem formada, eu as distinguiria por algumas marcas e poderia me contentar com essas expressões A e B, para as mesmas coisas que eu entendo hoje, quando eu digo *vejo uma árvore, vejo um cavalo*.[95]

Essa suposição de um homem despertando completamente novo para si mesmo não é original. Podemos encontrá-la em Buffon, Condillac, Diderot. O que é próprio a Maupertuis é o caráter construtivo de uma protolinguagem das percepções. Essa protolinguagem é construída da seguinte maneira: a percepções elementares correspondem expressões de uma linguagem de primeiro nível, composta de letras únicas: A, B, C. Por exemplo, A para a percepção de um cavalo, registrada no enunciado *Vejo um cavalo*. A semelhanças entre essas percepções corresponde uma linguagem de segundo nível, composta de grupos de duas letras: CD, CE..., em que a primeira letra de cada grupo distingue um elemento comum — por exemplo, C distinguirá *vejo*, comum a *vejo uma árvore* e *vejo um cavalo*. A diferenças entre essas percepções corresponde uma linguagem de terceiro nível, composta de grupos de três letras: CGH, CIK, em que G e I correspondem a números: *dois* em *vejo dois leões* e *três* em *vejo três corvos*.

A construção dessa linguagem permite a análise de *há uma árvore*, que contém um julgamento de existência explícito, ao contrário de *vejo uma árvore*. *Há uma árvore* é analisado como uma abreviação de enunciados perceptivos do tipo *vi uma árvore, vi a mesma árvore outra vez* etc. *Há uma árvore* é pois, para Maupertuis, também uma percepção, ou antes um enunciado de percepção[96] (Maupertuis não distingue), que "transporta, por assim dizer, a sua realidade para o seu objeto e forma uma proposição sobre a existência da árvore como independente de mim".[97]

Assim, a origem da linguagem é pensada por Maupertuis de maneira puramente individualista. Ele apresenta uma linguagem privada das percepções cuja gênese explica a existência das substâncias, dos modos, dos gêneros e das espécies, todo o aparato lógico-gramatical graças ao qual pensamos o mundo. Ele deriva os julgamentos da existência dos julgamentos de percepção, reduzindo mesmo o modelo de julgamento tético *há* a um enunciado de percepção. Turgot critica em suas *Observações críticas* esse pressuposto individualista e, logo, essa linguagem privada:

> A faculdade de perceber só subsiste pelas percepções; a de raciocinar não se baseia nelas, e talvez até ela suponha os signos; pelo menos, é bem verdade que o homem, tal como ele é atualmente, tem necessidade dos signos para raciocinar. Um homem sozinho, tal como o supõe aqui Maupertuis, não seria tentado a procurar marcas para designar as suas percepções; é só diante dos outros que as procuramos.[98]

Em sua *Dissertação sobre os diferentes meios dos quais os homens se serviram para expressar as suas idéias* (1768), Maupertuis conservará essa opinião e situará, como quase todos os filósofos do Iluminismo, na origem da linguagem de convenção, uma linguagem natural de ação, feita de tons e gestos. Tons que são a tradução dos afetos, e que admiramos no chinês (que é pois simultaneamente um modelo de escrita e um modelo de síntese entre canto e palavra), gestos que são a expressão das paixões. A origem da palavra é situada na simplicidade das articulações:

"Por simples batimentos da língua e dos lábios, podia-se formar um grande número de articulações combináveis ao infinito."[99]

A linguagem de convenção é pois caracterizada como uma linguagem de articulação. Ela substitui as linguagens do gesto e da entonação, mas estas podem ressurgir se a paixão predominar sobre a razão. A invenção dessa linguagem de articulação é sucedida pela da escrita:

E como a primeira linguagem tinha consistido em gestos, e em representações físicas dos objetos que se desejavam exprimir, da mesma forma, para a linguagem dos ausentes foram utilizadas figuras que representavam esses objetos e os gestos que deviam acompanhá-los. Essa foi a primeira escrita, a escrita universal; inteligível para todos os povos, e que foi provavelmente a única.[100]

Maupertuis traça uma genealogia da escrita: obeliscos, hieroglifos, escritura convencional, genealogia comum a muitos autores das Luzes[101], e que redobra a da palavra: os hieroglifos não são os exatos análogos dos gestos? Resume de modo lúcido o debate da Idade Clássica e de uma parte das Luzes sobre a escrita chinesa: trata-se de uma simples nomenclatura, em que cada caráter remete a uma coisa, ou de uma língua pré-filosófica, em que cada caráter é formado de radicais lógicos?

**Condillac** (1714-1780) reivindica de modo crítico a herança lockiana:

As palavras são o objeto do terceiro [livro do *Ensaio sobre o entendimento humano*] e ele [Locke] me parece ser o primeiro que escreveu sobre essa matéria como verdadeiro filósofo. Entretanto, penso que ela deve formar uma parte considerável da minha obra [*Ensaio sobre a origem dos conhecimentos humanos*], seja porque ela pode ainda ser considerada de uma maneira nova e mais extensa, seja porque estou convencido de que o uso dos signos é o princípio que desenvolve o embrião de todas as nossas idéias.[102]

O objetivo de Condillac é o estudo das operações do espírito humano. Não é de modo algum a análise ou a descrição da linguagem por si mesma. Em termos modernos, a filosofia da linguagem é subordinada, para ele, a uma filosofia empirista do espírito. A solução dos problemas epistemológicos se encontra, para Condillac, em sua teoria da ligação das idéias:

Parece-me que encontrei a solução de todos esses problemas [fonte, materiais, princípio do conhecimento] na ligação das idéias seja com os signos, seja entre si (...). As idéias se ligam com os signos, e é apenas por esse meio (...) que elas se ligam entre si.[103]

A ligação das idéias com os signos não é dada uma vez por todas em uma correspondência fixa e originária. Condillac insiste, ao contrário, na aquisição progressiva das operações do espírito, e no laço entre a gênese da linguagem e a dessas operações. A gênese destas últimas percorre a percepção, a atenção consciente, a imaginação, a contemplação, a memória e enfim a reflexão.[104] É a atenção que garante a ligação das idéias. "Ora, o signo é apenas uma modalidade dessa relação geral (de substrato fisiológico) de ligação das idéias." (J.Mosconi)[105]

A gênese da linguagem é exposta no *Ensaio* sob a forma de uma ficção, como em Maupertuis, mas Condillac escapa à objeção antiindividualista de Turgot, supondo-se não um homem só, mas duas crianças: "Mas suponho que, algum tempo depois do dilúvio, duas crianças, de um e de outro sexo, tenham se perdido no deserto, antes de conhecer a existência de qualquer signo."[106] Esse Adão e essa Eva crianças utilizam primeiro uma linguagem de ação, formada por atitudes do corpo, expressões do rosto, gestos e gritos: "Os gestos, os movimentos do rosto e os tons inarticulados, eis, Monsenhor, os primeiros meios que os homens tiveram para comunicar os seus pensamentos. A linguagem que se forma com esses signos se chama *linguagem de ação*."[107]

No *Ensaio*, Condillac distingue várias etapas na constituição dessa linguagem de ação, segundo as crianças em questão vivam primeiro separadamente, depois juntas: é a necessidade da sua convivência e o instinto de assistência que regularizam essa semiótica, inicialmente violenta e anárquica, para fazer dela uma linguagem — ou uma protolinguagem, já que a essa linguagem falta o elemento essencial a toda linguagem, a articulação. Esta aparece quando a linguagem de ação foi suficientemente decomposta pelo pensamento:

> Quando um homem exprime um desejo pela sua ação, e mostra com o dedo um objeto que deseja, começa a decompor o seu pensamento; mas ele o decompõe menos para ele do que para os que o observam. Ele não o decompõe para ele. (...) Seu pensamento se oferece (...) inteiro a ele, sem sucessão e sem decomposição. (...) Ora, se um homem que só fala a linguagem de ação observa que para compreender o pensamento de um outro ele tem necessidade, muitas vezes, de observar sucessivamente os seus movimentos, nada impede que ele observe ainda, cedo ou tarde, que para se fazer entender mais facilmente precisa tornar os seus próprios movimentos sucessivos. Aprenderá pois a decompor o seu pensamento;

e é então que a linguagem de ação começará a tornar-se uma linguagem artificial.[108]

O processo que conduz do natural ao artificial na linguagem de ação é pois inseparável de uma interação comunicativa: é compreendendo o pensamento do outro que observo a necessidade de decompor o meu pensamento. Esse processo é dialético: decompondo o meu pensamento torno a minha linguagem de ação cada vez mais elaborada, e ela se torna por sua vez um instrumento mais apto para decompor o meu pensamento. Condillac denomina análise a esse processo de decomposição do pensamento e compreende-se então a afirmação que abre o prefácio da *Língua dos cálculos*: "Toda língua é um método analítico." Esse conceito de língua é tão amplo e preciso que pode englobar as ciências — daí a afirmação simétrica: "e todo método analítico é uma língua". Entre as ciências é a álgebra que é a língua perfeita:

> A álgebra é uma língua bem feita, e a única: nada parece arbitrário. A analogia que nunca escapa conduz sensivelmente de expressão em expressão. (...) Já que a álgebra é uma língua que a analogia faz, a analogia que faz a língua faz os métodos, ou antes o método de invenção é apenas a própria analogia. A analogia: eis pois a que se reduz toda a arte de raciocinar, como toda arte de falar; e nessa única palavra vemos como podemos nos instruir sobre as descobertas dos outros e como podemos fazê-las nós mesmos.[109]

Condillac não tem pois nenhuma necessidade de uma língua racional ideal, de tipo leibniziano, já que toda língua, afinal, é racional, e porque existe uma língua completamente racional, a álgebra.

Esse projeto de língua racional calcada na álgebra foi retomado, em pleno Iluminismo, no contexto erudito da Academia de Berlim, por um autodidata de gênio, correspondente de Kant e autor de uma semiótica de tipo leibniziano. **Lambert** (1728-1777) pertence a uma corrente que, mesmo marginal, faz a continuidade de Leibniz a Frege. O estudo da semiótica de Lambert leva a opor uma lingüística leibniziana a uma lingüística cartesiana. Nesta última, a gramática universal do espírito e das idéias desempenha um papel central que é ocupado na lingüística leibniziana por uma escrita e um cálculo universal, do qual a gramática é apenas uma das realizações, cálculo que pode representar a combinatória das idéias. Lambert expôs a sua semiótica no livro III do seu *Neues Organon* (1764) — título escolhido em referência a Bacon. As quatro partes do *Neues Organon* são a Aletiologia (doutrina da verdade), a Dianoiologia (doutrina das leis do pensamento), a Semiótica (doutrina do signo), a Fenomenologia (doutrina da aparência). A semiótica ocupa pois um lugar intermediário entre o pensamento e a aparência.

O pensamento de Lambert é governado pela idéia de isomorfia entre os conceitos e as coisas. Essa isomorfia não é, evidentemente, um dado, mas o resultado de uma quádrupla elaboração, que passa por uma flexibilização da lógica aristotélica, a reinterpretação da teoria lockiana das idéias no interior dos conceitos wolffianos da *Metaphysica generalis*, uma reflexão sistemática sobre a aparência e, finalmente, a elaboração de um cálculo dos conceitos, que aproveita o estudo de todos os sistemas semióticos existentes.

Os conceitos são decompostos em marcas (*Merkmale*) que devem corresponder às propriedades do objeto. Lambert não aplica o cálculo infinitesimal à teoria das marcas diferenciais do conceito. A representação conceitual é para ele passível de uma representação discreta, e é esse caráter discreto que permite ao conceito ser o objeto de um cálculo e ser representação da qualidade. Os ensaios puramente físicos de Lambert, como a sua *Calorimetria*, podem ser concebidos como semióticas das qualidades segundas concretas. Da mesma forma, a sua projeção cartográfica (projeção Lambert) pode ser concebida como uma aplicação local do modelo geral de isomorfia. Lambert justapõe uma metodologia wolffiana — a decomposição dos conceitos em *notae* é uma simplificação escolar de Leibniz por Wolff — a uma gnoseologia lockiana: o sistema da verdade que serve de fundamento à semiótica é um sistema de idéias simples lockianas.

Lambert, na semiótica, passa em revista um certo número de sistemas simbólicos, e sua posição é próxima da de Condillac, na medida em que ele conclui que a álgebra é o modelo do conhecimento simbólico e por isso mesmo uma espécie da característica. A diferença em relação a Condillac é que o modelo algébrico serve a Lambert para a construção do cálculo lógico do pensamento, em que a preocupação característica é perfeitamente explícita. A álgebra é um modelo, certamente, mas o modelo de um cálculo a construir. A álgebra é para si mesma a sua própria arte de significar. Ela comporta uma arte de combinar os signos que pode ser destacada dela e tornar-se a primeira etapa de uma característica que comanda as relações gerais entre conceitos, proposições e verdades. Lambert difere de Condillac na medida em que, para ele, na língua dos cálculos, não é a analogia que é o motor de uma língua perfeita, mas o seu caráter literal e mecânico. Lambert admite uma significação metafórica dos signos algébricos, permitindo a volta para a linguagem comum. Mas esse caráter metafórico é regulado pela justaposição e pela subordinação.

O estudo por Lambert dos processos de denominação o leva a distinguir várias etapas no interior do progresso científico: da abreviação natural à denominação das partes percebidas não naturalmente (por exemplo, com o microscópio) e a própria abreviação característica; esta última é concebida no prolongamento da modificação do enraizamento da língua em um mundo perceptivo comum. Nos três casos, trata-se de denominar a unidade estável de uma multiplicidade com o auxílio de uma semiótica que lhe convém. A semiótica característica só é possível quando a percepção natural se torna um caso da percepção em geral. Daí a necessidade de uma fenomenologia que analise o papel corretor da ótica no domínio visual. A ótica desempenha o mesmo papel na fenomenologia que a álgebra na semiótica. A fenomenologia elimina a ilusão perceptiva por meio do artifício da perspectiva. Uma possibilidade de tradução é dada por essa língua da aparência que é a fenomenologia, definida aliás como uma ótica transcendente, uma perspectiva transcendente. Lambert é um dos primeiros a pensar o olho e o espírito como ponto de vista.

Então é possível construir um cálculo lógico das idéias que contenha principalmente uma análise das noções em seus constituintes primeiros, com uma série de regras de transformações combinatórias e uma arte dos signos propriamente dita. Esta obedece às regras seguintes: o número dos signos deve ser igual ao número das idéias; idéias desconhecidas devem ser distinguidas das idéias conhecidas; a ordem dos signos, enfim, deve ser a mesma que a ordem das coisas. O ideal característico combinatório exclui a idéia de uma ordem natural e com isso toda perspectiva histórico-mítica de tipo adâmico. O afastamento entre o dado e o modelo é atribuído à imperfeição da linguagem, imperfeição que não é a seqüência de uma queda, mas simplesmente uma conseqüência da democracia lingüística que faz com que os inventores da linguagem situados logo no início do progresso científico pareçam ignorantes. A característica combinatória não é pois uma tentativa de restauração, mas a ambição de arrancar a linguagem da demagogia dos seus inventores e da tirania dos seus reformadores. Lambert procura no modelo acadêmico a possibilidade para o governo esclarecido dos sábios de instituir um modo de comunicação livre das ilusões do mito.

## 8. Linguagem, emoção, origem: Rousseau, Vico, Hamann, Herder

A filosofia da linguagem do Iluminismo não é monolítica: nós aprendemos a ver diferenças entre Maupertuis, Condillac e Lambert, por exemplo. Mas estes adotam, por um lado, a teoria das idéias lockiana, por outro um ideal de língua racional para a expressão das idéias. A esse consenso racionalista e a-histórico não se opõe uma corrente organizada de críticos das idéias do Iluminismo. Rousseau, Vico, Hamann, Herder talvez tenham apenas um ponto comum: são isolados. Entretanto, sua concepção dinâmica e histórica da linguagem prepara ao mesmo tempo a filosofia romântica da linguagem e a integração da lingüística às ciências históricas. Seria pois superficial opor simplesmente, como Cassirer, uma semântica ideacional a uma semântica da emoção. A emoção desempenha um papel conceitual importante entre esses críticos do Iluminismo, mas ela é apenas o ponto de partida de uma relação do homem com o seu corpo e com a sua história. O problema da linguagem, com isso, fica deslocado. Não se trata pois de substituir a emoção pela idéia, mas de levantar a questão da linguagem na perspectiva de uma história do corpo.

No *Ensaio sobre a origem das línguas*, **Rousseau** pensa uma tripla origem, a da desigualdade, da música e das línguas.

Com as primeiras vozes, se formaram as primeiras articulações ou os primeiros sons, segundo o gênero da paixão que ditava uns ou outros. A cólera arranca gritos ameaçadores, que a língua e o palato articulam, mas a voz da ternura é mais suave, é a glote que a modifica, e essa voz se torna um som. Só os seus tons são mais freqüentes, mais raros, as inflexões mais ou menos agudas segundo o sentimento que se acrescenta. Assim, a cadência e os sons nascem com as sílabas; a paixão faz falar todos os órgãos, e adorna a voz com todo o seu brilho. Assim, os versos, os cantos, a palavra têm uma origem comum.[110]

A primeira linguagem, para Rousseau, é a das paixões. Ela é figurada. É inseparável do canto, e mais próxima da poesia que da prosa. No segundo Discurso, a paixão é definida como o grito da natureza: "A primeira linguagem do homem, a linguagem mais universal, mais enérgica, e a única da qual ele teve necessidade antes de que precisasse persuadir homens reunidos, é o grito da natureza."[111]

A gênese da linguagem está ligada à necessidade de comunicação de uma humanidade mais densa, e ela se exprime concretamente pela multiplicação das inflexões da voz e dos gestos. Gestos e sons imitativos realizam o ideal expressivo dessa primeira linguagem. As articulações da voz são apenas um substituto do movimento gestual no caso em que o objeto, não visível, não pode mais ser mostrado por um gesto. Cada palavra articulada tem valor de proposição inteira. Os nomes próprios precedem os substantivos. Tudo isso porque "as abstrações são operações penosas e pouco naturais". Estamos pois nos antípodas de Condillac, para quem na linguagem de ação já opera o modelo analítico da linguagem. Para Rousseau, a primeira linguagem é uma nomenclatura, e é o tamanho dessa nomenclatura que conduz a denominações comuns e genéricas.

O nascimento das idéias gerais provém das proposições: é preciso pois falar para ter idéias gerais, porque "logo que a imaginação se detém, o espírito só funciona com a ajuda do discurso". A passagem dos nomes próprios aos nomes gerais é, como diz o próprio Rousseau, um ponto obscuro no seu sistema.

**Vico** (1668-1744) expôs em *A Ciência Nova* (1ª edição, 1725) uma filosofia da história, cujo objetivo é fazer a gênese da civilização, e que dá um lugar central à linguagem. Vico divide a história da humanidade em três idades, a dos deuses, a dos heróis e a dos homens.[112]

(...) a primeira natureza foi de essência poética e criadora e, até ousamos dizer, divina. Na verdade, ela viu nos objetos substâncias animadas pelos deuses, segundo a idéia que ela fazia deles (...). A segunda natureza foi heróica, e os heróis lhe atribuíram uma origem divina (...). A terceira natureza foi humana, inteligente e contida, benevolente e razoável, e reconhecia como lei a consciência, a razão e o dever.[113]

A cada uma dessas naturezas ou idades da humanidade correspondem espécies de costumes, direitos naturais, jurisprudências, autoridades, razões e, quanto ao que nos interessa, línguas e caracteres.

A primeira língua correspondente à idade divina é "uma língua mental e divina, consistindo em um conjunto de atos religiosos mudos e ritos consagrados".[114] A segunda "utilizou emblemas heróicos: é a linguagem das armas".[115] A terceira, enfim, utiliza a palavra; é a linguagem articulada tal como é observada todos os dias em todos os povos. A linguagem articulada tomou corpo graças ao emprego da onomatopéia e Vico procura os nomes dos deuses em onomatopéias e interjeições.[116]

Do mesmo modo, três espécies de caracteres correspondem a essas três idades. Os primeiros são os hieroglifos, "universais poéticos". Os segundos são constituídos pelas façanhas dos grandes guerreiros (Aquiles) ou navegadores (Ulisses). Os terceiros são os caracteres vulgares das línguas vulgares.

Vico, em sua procura de uma sabedoria poética, edificou uma "lógica poética", em que *logos* quer dizer fábula e não cálculo, e até mesmo ato e não proposição. Essa lógica poética permite retomar as origens das línguas em uma série de monumentos constituídos por hieroglifos, leis, nomes, armas, medalhas, moedas. A linguagem faz parte de um conjunto de instituições e monumentos que testemunham a passagem do divino ao humano, em uma perspectiva que não pode se reduzir univocamente nem a uma queda nem a um progresso. A linguagem é a memória fabulosa dos tempos divinos e heróicos, mas a linguagem desses tempos é muda: não há, verdadeiramente, revelação da origem, mas profusão múltipla do divino e do heróico, naquilo que a linguagem contém de poético e de legislador.

**Hamann** (1730-1788) é um dos críticos mais acerbos do Iluminismo alemão. O Mago do Norte antecipa o furor de Kierkegaard contra a mediocridade teológica dos hegelianos dinamarqueses. Os escritos de Hamann são, na maioria, textos de ocasião, polêmicos e irônicos, não-sistemáticos, e de uma crítica extremamente penetrante. Hamann vê na razão pura de Kant a religião natural dos deístas, a idéia de uma revelação não-histórica de Deus, vaidades idealistas entre as quais ele situa a origem humana das capacidades lingüísticas. O único filósofo que lhe agrada é Hume. Reprova Kant por pretender fazer uma crítica da razão pura sem levar em conta a linguagem. Para Hamann, a demonstração kantiana da separação entre o entendimento e a experiência sensível é impossível, porque ela depende da linguagem, de símbolos mentais cuja pureza é ambígua. A linguagem é ao mesmo tempo intelectual e sensível. Não se reduz a uma coleção de sinais convencionais para conceitos discursivos, mas é o símbolo da vida divina que nos cerca. A linguagem, para Hamann, é simultaneamente o lugar da revelação e do mal-entendido; não só toda a capacidade de pensar é fundada sobre a linguagem, mas esta também é o meio, para a razão, de iludir-se a si mesma.

**Herder** (1744-1803), como Vico, faz a sua filosofia da linguagem depender de uma filosofia da história. O discurso não é, para ele, um instrumento contingente da razão, e esta não existe sem a linguagem. O desenvolvimento da razão é o resultado de um uso de signos significativos. Não se pode fazer a linguagem depender de uma faculdade particular, na medida em que, segundo Herder, a separação das faculdades é largamente artificial. Em sua discussão das origens da linguagem, Herder traça um conjunto de etapas sem grande originalidade; em contrapartida, seu conceito de reflexão, que é a faculdade humana específica, é original na medida em que está na fonte da forma orgânica da linguagem. A reflexão não é exterior à sensação. Herder, nesse ponto, está consciente de se separar de uma certa psicologia iluminista (Maupertuis, Condillac), mas vimos que não se pode reduzir essa psicologia a uma pura afirmação da passividade das sensações. Para Herder, como para Humboldt, a linguagem se desenvolve organicamente a partir de uma intuição. É Schlegel que introduz pela primeira vez na filologia o conceito de forma orgânica. Se a linguagem tem uma forma orgânica, isso significa que não se pode situá-la inteiramente, em termos kantianos, seja do lado da natureza, seja do lado da arte e da liberdade. Para Herder, a natureza e a arte, como a natureza e a liberdade, estão unidas na idéia de uma forma orgânica. Essa concepção se baseia sobre três princípios chamados leis da natureza, no *Tratado sobre a origem das línguas* (1772):

1ª lei: O homem é uma criatura livre-pensante, ativa, cujas

forças avançam em progressão; que ele seja pois uma criatura da linguagem.

2ª lei: O homem é, em sua destinação, uma criatura de tropa, de sociedade: a constituição de uma linguagem lhe é pois natural, essencial e necessária.

3ª lei: Assim como a raça humana não pode constituir uma tropa única, assim também não pode haver apenas uma língua. Haverá a formação de diversas línguas nacionais. Em uma acepção metafísica, uma língua não é possível entre homem e mulher, pai e filho, descendente e ancestral.

4ª lei: Assim como, segundo toda verossimilhança, a raça humana constituiu um todo progressivo a partir da sua origem primeira (...), isso também ocorreu com todas as línguas, e com elas o conjunto da cadeia da cultura.

Esse conceito de forma orgânica, herdeiro do conceito de forma substancial, é o que permite à filosofia romântica da linguagem e à filologia nascente a fuga das limitações de uma filosofia em que a linguagem seria uma faculdade inata de um autômato espiritual.

## 9. Humboldt (1767-1835)

Humboldt constitui a transição do Iluminismo para o século XIX, marcado pelo nascimento da ciência lingüística (gramática comparada, hipótese indo-européia). A oposição conceitual fundamental para a linguagem se situa para Humboldt entre processo e produto. O produto ou obra é *ergon*. O processo ou atividade é *energeia*. A linguagem é um processo contínuo. Uma das conseqüências é que a tese analítica iluminista, que faz a criação derivar de um discurso da instituição das palavras, é criticada, pois para Humboldt as palavras derivam da *totalidade* do discurso. Para ele, a atividade de linguagem é uma mediação entre o espírito e a realidade. O homem vive no mundo que está em torno dele exatamente como a linguagem o apresenta a ele. Humboldt quase reduz a filosofia à filosofia da linguagem. Em uma carta de 1805, apresenta a descoberta das leis da linguagem como o meio que permite explorar as alturas, as profundidades e a diversidade do mundo inteiro. Ele propõe um procedimento comparativo, na medida em que cada linguagem possui uma forma interna que exprime a psicologia de um povo que nela se desenvolveu.

Essa forma interna é expressa pelas relações gramaticais. Humboldt pensa sempre a especificidade de cada gramática na ótica da gramática geral, isto é, em relação ao pensamento e às idéias. Mas o que é novo é, por um lado, a insistência na "formação progressiva da gramática"[117] e, por outro, a introdução da "ação do gênio nacional".[118] A universalidade da gramática existe, na medida em que Humboldt reconhece para toda língua "mesmo a mais imperfeita e a menos cultivada"[119] a posse de relações gramaticais, mas essa universalidade não é de forma alguma uma uniformidade:

> (...) deve-se evitar imaginar um tipo universal de progresso contínuo na formação das línguas, e querer julgar por si todos os fenômenos particulares. Em todas as línguas, a ação do tempo se encontra associada à ação do gênio nacional.[120]

Humboldt distingue "relações gramaticais" e "forma gramatical":

> Pelo fato de que, com os signos de quase todas línguas, seja possível indicar todas as relações gramaticais, não se segue que todas possuam formas gramaticais, no sentido em que as concebem as línguas que chegaram a um alto grau de cultura.[121]

Pode-se indagar se, no começo dos Tempos Modernos, a reflexão sobre a linguagem não se deslocou progressivamente para uma reflexão sobre a natureza do signo. O conceito de signo emerge no Renascimento, para invadir todo o campo da filosofia da linguagem durante o Classicismo e o Iluminismo.

Depois de Humboldt, o século XIX viu constituir-se a lingüística como ciência autônoma da linguagem. Por exemplo, a hipótese indo-européia deu impulso à gramática comparada. Entretanto, a lingüística não tem como objeto uma reflexão sobre a essência e a natureza da linguagem, mas uma descrição das regularidades nos fenômenos lingüísticos. Além disso, certos temas filosóficos são proscritos: a origem da linguagem não é um problema lingüístico. Poder-se-ia objetar que a definição de Saussure segundo a qual a linguagem é um sistema de signos mostra que a lingüística quer realmente desvelar a natureza da linguagem. Não é o caso, pois ao lado da linguagem há outros sistemas de signos, e Saussure define, de fato, os sistemas semióticos em geral a partir da linguagem. Ao contrário, Peirce, que é um autêntico metafísico, não tem nada de preciso a dizer sobre a linguagem, porque sua perspectiva é radicalmente semiótica. A filosofia analítica toma a linguagem como objeto privilegiado e reata assim com a orientação semântica da reflexão antiga e medieval.

## 10. Nas fontes da filosofia analítica: Bolzano, Brentano, Husserl

Se o berço do método analítico moderno foi indubitavelmente a Inglaterra, as fontes da filosofia analítica são entretanto em grande parte continentais, e mais precisamente austríacas e alemãs. A filosofia analítica é a continuação da tradição empirista inglesa, de Hume, Locke e Berkeley, mas é também a retomada de uma tradição de pensamento austro-alemã, remontando pelo menos a Bolzano, tradição distinta do idealismo alemão, notadamente hegeliano.

**Bolzano** (1781-1848) era um padre católico, nascido em Praga, doutor em matemática. Perdeu sua cátedra na Universidade de Praga em 1819, por causa de suas idéias pacifistas e socialistas, e consagrou-se, de 1823 a 1841, à redação da sua *Wissenschaftlehre*. Como matemático, Bolzano lançou os alicerces de uma ciência geral das quantidades (em sua *Grössenlehre*, Teoria das grandezas, póstuma) e antecipou alguns aspectos da teoria dos conjuntos infinitos em seus *Paradoxos do infinito*. Mas foi no domínio da filosofia da lógica que sua influência sobre o pensamento analítico foi mais fecunda, principalmente por seu antipsicologismo radical, que anuncia e prepara o de Frege e Husserl. Bolzano estava realmente convencido de que existem verdades-em-si (*Warheiten an sich*), independentes do espírito humano e que precedem a língua. Essas verdades não devem ser confundidas com as verdades expressas nas palavras. As verdades-em-si são uma parte das proposições-em-si (*Sätze-an-sich*), que não devem ser confundidas com as proposições expressas na linguagem. As proposições consistem em representações-em-si (*Vorstellungen an sich*) que por sua vez não devem ser confundidas com os termos, no sentido lingüístico, que compõem a proposição expressa. Isso fornece pois as bases de um antipsicologismo radical: as representações-em-si não devem ser confundidas com as imagens mentais que as acompanham e existe um domínio independente e objetivo das proposições não expressas na linguagem. Esse platonismo conduz pois a uma concepção que será retomada por Frege e Husserl da independência dos conteúdos objetivos de pensamento em relação às associações puramente psicológicas da vida mental.

**Brentano** (1838-1917) exerceu grande influência através do seu magistério, exercido em Würzburg e Viena. Foram seus estudantes Husserl, Meinong, Freud, Twardowski (um dos fundadores da filosofia polonesa contemporânea). Sua obra mais importante é sem dúvida *Psychologie vom empirischen Standpunkt* (1874, trad. francesa *La psychologie d'un point de vue empirique*).

Brentano é autor de uma obra imensa, que cobre todo o campo da filosofia. Vamos limitar-nos aqui à sua tese sobre a intencionalidade, que influenciou não só Husserl e a fenomenologia, mas também a filosofia analítica. Até uma data recente, a concepção da intencionalidade discutida na filosofia analítica era pré-husserliana e brentaniana. Segundo Brentano, o que distingue os fenômenos mentais dos fenômenos físicos é "a inexistência intencional" do objeto ao qual se refere o espírito. Os fenômenos mentais contêm pois objetos no interior de si mesmos. O ponto fundamental, o que permite falar de "inexistência", é o fato de que posso pensar em x, digamos uma árvore, sem que a árvore exista. Se A está à esquerda de B, A e B existem, mas se A pensa em B, B não existe forçosamente. Existem vários modos de relação intencional de um objeto com a consciência: a presença desse objeto à consciência, o fato de aceitar ou rejeitar esse objeto, odiar ou amar esse objeto, modos que correspondem respectivamente às representações, julgamentos e fenômenos emotivos. Embora essa teoria seja psicológica, ela diz respeito indiretamente à linguagem, na medida em que esta é a expressão de uma subjetividade nas emoções, afetos, e mais geralmente nos atos mentais.

**Husserl** (1859-1938). Pode parecer estranho apresentar o primeiro Husserl, anterior a 1913,[122] nas fontes da filosofia analítica: apresenta-se habitualmente o método fenomenológico como uma alternativa ao método analítico. Entretanto, em suas *Pesquisas lógicas*, Husserl, que foi aluno de Brentano de 1884 a 1887, depois de estudar matemática, traçou um programa de ontologia formal, cuja inspiração é vizinha da de Frege. Na segunda das *Pesquisas lógicas*, Husserl desenvolveu um conceito de gramática pura, em relação com a ontologia. A gramática pura é uma gramática formal, fundada em parte sobre a distinção entre categorema e sincategorema. Essa distinção é posta em relação, no nível ontológico, com a do momento dependente e do momento independente. A cor é um momento dependente da superfície, enquanto a propriedade de estar sentado é um momento independente de Sócrates. Por vias diferentes das de Wittgenstein, Husserl generaliza o conceito de gramática.

# A LINGUAGEM E A ANÁLISE: O SÉCULO XX

"O que distingue a filosofia analítica em seus diversos aspectos de outras correntes filosóficas é, em primeiro lugar, a convicção de que uma análise filosófica da linguagem pode levar a uma explicação filosófica do pensamento, e em segundo lugar, a convicção de que esta é a única maneira de se chegar a uma explicação global",[1] escreve M. Dummett. Mas o que se entende por *análise filosófica da linguagem*? Esse termo "análise" tem uma longa história, matemática e lógica. Vimos acima o uso que Condillac já fazia dele: para ele, indica a decomposição necessária das idéias e sensações complexas em idéias e sensações simples. O termo recebe um segundo sentido a partir de Kant e designa julgamentos cuja verdade só depende deles mesmos, isto é, cujo conteúdo é exposto por uma análise de sua forma. O sentido específico que esse termo recebe na filosofia dita analítica não contradiz essa história. Mas com Moore e principalmente Russell, a análise filosófica se torna modelo de método, e o termo "analítico" faz mais do que qualificar julgamentos ou enunciados: ele caracteriza um tipo de atividade conceitual voltado para o esclarecimento dos *enunciados*. Essa análise tem como domínio privilegiado, como vimos a propósito de Frege — mesmo que este não reivindique esse ideal de análise —, a linguagem, enquanto expressão do pensamento. A expressão *corrente lingüística*, às vezes utilizada para designar essa nova orientação, poderia se explicar por uma dupla tendência, por um lado, de reconhecer uma impossibilidade radical de apreender o pensamento nu, sem roupagem lingüística, e por outro, de insistir no fato de que a atividade de análise se exerce na e pela linguagem.

Enfim, é preciso insistir no fato de que essa revolução, tão importante quanto a do nominalismo no século XIV, se realizou durante um lapso de tempo muito breve, uns quarenta anos na escala milenar da história da semântica:

1879 Frege : *Begriffschrift*
1892 Frege : *Sinn und Bedeutung*
1900 Husserl : *Recherches logiques*

1902 Meinong : *Uber Annahme*
1903 Russell : *Principles of Mathematics*
1904 Meinong : *Uber Gegenstandtheorie*
1904-1905 : Russell critica Meinong
1905 Russell : *On denoting*
1917 Wittgenstein : *Tractatus logico philosophicus*

## 1. Frege (1848-1925)

G. Frege é, mais do que Boole, o criador da lógica matemática moderna, e tanto quanto Wittgenstein e Russell, a fonte da filosofia analítica. Frege foi um pensador essencialmente interessado nos alicerces da aritmética e na construção de uma "língua formular do pensamento", ou *Begriffschrift* (literalmente, "escrita do conceito"). Seu interesse pela linguagem natural foi, na maioria das vezes, indireto ou lateral. É quase sempre na perspectiva de uma expressão rigorosa do pensamento e em um movimento de comparação com as exigências de uma verdadeira linguagem científica que a linguagem natural é abordada.

Para Frege, um pensamento é definido como o sentido de uma frase, ou mais simplesmente a parte suscetível de verdade ou de falsidade de uma frase:

> Deve-se separar do conteúdo de uma frase a parte que se pode apenas aceitar ou rejeitar como verdadeira ou falsa. Chamo essa parte de pensamento expresso pela frase (...). É apenas essa parte do conteúdo que diz respeito à lógica. Chamo qualquer outra coisa que mascare o conteúdo de uma frase de coloração (*Farbung*) de um pensamento.[2]

São as características da linguagem natural que impedem a expressão precisa e regular de um sentido por uma frase. Em primeiro lugar, a linguagem, segundo Frege, não serve apenas para exprimir pensamentos precisos, mas também para exprimir emoções, para estimular a imaginação:

> Quando uso a palavra "cavalo", "corredor", "montaria" ou "rocinante", nenhuma diferença resulta para o pensamento. A força afirmativa não se faz sobre o valor diferencial dessas palavras. O que se pode chamar a tonalidade, o perfume, a luz de uma poesia, essa cor dada pelas cesuras e pelo ritmo, nada disso pertence ao pensamento.[3]

Em um texto póstumo de 1897,[4] "Logic", Frege volta a essa questão da expressão de um pensamento por uma frase:

Vimos que a série de sons que compõe uma frase é muitas vezes insuficiente para a expressão completa de um pensamento. Se desejamos salientar a essência de um pensamento do modo mais preciso possível, não devemos negligenciar o fato de que o caso inverso é freqüente, aquele em que uma frase faz mais do que expressar um pensamento e asserir a sua verdade. Em muitos casos, uma frase visa ter, ao mesmo tempo, um efeito sobre as idéias e os sentimentos do ouvinte; e quanto mais ela se aproxima da linguagem da poesia, maior o efeito visado.[5]

Depois, a linguagem é plena de expressões metafóricas e figurativas, que não existem na linguagem sóbria da ciência:

As disciplinas que se chamam ciências do espírito estão mais próximas da poesia, e por isso são menos científicas que as ciências rigorosas, que são tanto mais secas quanto mais exatas. Com efeito, a ciência rigorosa visa à verdade e apenas à verdade. Nenhum dos elementos de uma proposição sobre os quais a força afirmativa não tem nenhum poder pertence à exposição científica.[6]

Enfim, a linguagem contém muitas expressões que são apenas uma ajuda para a compreensão mútua e para a comunicação, por exemplo "mas":

Muitos traços da linguagem têm por função ajudar a compreensão do ouvinte; assim, enfatiza-se um membro de frase pela entonação ou pela construção. Pensemos em palavras como "ainda", "já". Na proposição "Alfredo ainda não veio" dizemos "Alfredo não veio" e indicamos que esperamos a sua vinda, mas apenas o indicamos. Não podemos dizer que o sentido da proposição seja falso, se acontecer que a vinda de Alfredo não seja esperada. A palavra "mais" se distingue da palavra "e", indicando que a continuação está em oposição com o que se poderia esperar a partir dos dizeres precedentes.[7]

A língua natural, para Frege, está ligada aos sentidos, à percepção, à nossa vida mental. Entretanto, devemos distinguir o pensamento (*Gedanke*) da expressão do pensamento. Como essa expressão é lingüística e a linguagem natural não é construída segundo um plano lógico, é preciso, para apreender o conteúdo conceitual dos pensamentos e seu verdadeiro encadeamento inferencial, ultrapassar as limitações da linguagem natural. É por isso que uma língua auxiliar (*Hilfssprache*) ou língua formal (*Formelsprache*) é necessária. A distinção entre *Darlegungssprache* — língua de exposição — e língua auxiliar antecipa a distinção estabelecida por Carnap,[8] e depois por Tarski entre linguagem e metalíngua.

Frege, na *Begriffschrift* (1879) propôs uma ideografia que corrige a inadequação da linguagem natural, no que diz respeito à expressão das verdades científicas: "Seu primeiro objetivo é dar um meio seguro de testar a validade das cadeias de inferências e mostrar toda pressuposição que se esforça por manter-se oculta, de modo a que se possa procurar a sua origem."[9] Ele denomina a *Begriffschrift* como uma "linguagem formular do pensamento puro".[10]

A relação entre essa língua formular e a língua natural é ilustrada por Frege por meio de uma comparação, a do olho e do microscópio. A língua formular é um instrumento artificial, como o microscópio, que permite ultrapassar as limitações da natureza, mas o olho é um instrumento mais flexível, como a língua natural:

> Por causa da extensão das suas diferentes possibilidades e da flexibilidade com a qual ele pode adaptar-se às diferentes circunstâncias, o olho é, de longe, superior ao microscópio.
>
> Considerado como um instrumento de ótica, ele possui muitas imperfeições, que permanecem ocultas, em razão da sua conexão íntima com a nossa vida mental. Mas logo que finalidades científicas exigem a precisão da resolução, o olho se revela insuficiente. O microscópio, inversamente, é perfeitamente concebido para realizar tais finalidades, mas é também a razão pela qual ele é inútil para as outras.[11]

Frege, a propósito da sua ideografia, lembra simultaneamente Bacon e Leibniz:

> O entusiasmo que invadiu — e talvez tenha dominado — o seu autor quando ele [Leibniz] contemplou o grande aumento dos poderes intelectuais da humanidade que um sistema de notação diretamente apropriado aos objetos proporcionaria, o levou talvez a subestimar as dificuldades de um tal empreendimento. Mas mesmo que esse objetivo digno de ser perseguido não possa ser atingido em uma etapa, não devemos perder as esperanças [de atingi-lo], através de uma aproximação progressiva.[12]

Frege toma aqui posição (talvez inconscientemente) por Leibniz contra Descartes, que era cético quanto à realização de uma característica, devido ao fato de que ela parece pressupor o que visa como resultado: um conhecimento analisado e seguro. Frege, como Leibniz, defende a idéia de uma progressividade na construção de uma tal linguagem.

Frege pensa que esse instrumento é útil para a filosofia, se um dos objetivos desta é "quebrar o domínio da palavra sobre o espírito humano",[13] para "reproduzir as idéias sob sua forma pura". Uma das libertações em relação à linguagem natural consiste em substituir a distinção sujeito/predicado pela distinção função/argumento. Vimos que, para Aristóteles, a doutrina dos dois termos de Platão era suplantada pela da ligação do predicado com o sujeito, por meio da cópula, resultando em um sistema predicativo clássico "S é P", em que o sujeito é S e P o predicado. Esse esquema foi considerado, até Frege, como a forma lógica das proposições. Ora, ele explica mal certas frases quantificadas, como, por exemplo, "Algumas moças amam todos os rapazes": a doutrina clássica da predicação suporta mal a quantificação do predicado. Por exemplo, para essa frase seria preciso admitir uma forma lógica: "Algumas moças são amando-todos-os-rapazes." Isso teria o seguinte inconveniente: seria preciso admitir, ao lado do predicado "amando-todos-os-rapazes", um predicado "amando alguns rapazes", na forma lógica da frase "Algumas moças amam alguns rapazes", o que demonstra a incapacidade de exibir o que é comum formalmente a esses dois predicados. Frege substitui esse esquema "S é P" por uma estrutura inspirada na matemática, a da função, saturada por um argumento: "F(a)", em que F é uma função e a um argumento. Por exemplo, se a função é "y = x (x – 4)", a função associará o valor 12 ao argumento x = 6. Aplicada à língua natural, essa noção de função terá como efeito tornar clara a comunidade de estrutura das duas frases acima. A forma lógica de "algumas moças amam todos os rapazes" será, com efeito, "existe x tal que (R(y) e M(x)) e qualquer que seja y x ama y" (R sendo o predicado "é um rapaz" e M "é uma moça"). Enquanto a forma lógica de "algumas moças amam alguns rapazes" será "existe x e existe y...". A quantificação aparece no início da fórmula e o predicado quantificado é idêntico nas duas formulações. Logo, apesar das diferenças de superfície, trata-se do mesmo predicado, do mesmo conceito, para retomar a terminologia de Frege, que depois de Kant identifica conceito e função.

O conceito é, por conseguinte, uma função de um argumento, cujo valor é sempre um valor de verdade. Assim, derivo a palavra "função" da análise, e a utilizo (...) em uma significação mais ampla, que a própria história da análise nos indica. Um nome de função traz sempre consigo lugares vazios (pelo menos um) para o argumento que, na análise, é, na maioria das vezes, designado pela letra "x", que preenche cada lugar vazio (...). A própria função será pois chamada por mim insaturada, ou pedindo para ser completada (*ergänzungsbedürftig*), porque seu nome deve ser completado pelo signo de um argumento, para possuir uma significação fechada (*abgeschlossene*). É isso que chamo objeto, e no caso que nos interessa, o valor da função para o argumento que efetua a complementação (*Ergänzung*) e a saturação (*Sättigung*). Quando completamos efetivamente um nome de conceito por um nome próprio, obtemos uma frase cujo sentido é um pensamento; pertence-lhe então um valor de verdade, que é a sua denotação.[14]

Ao contrário, Frege mostra, em "Sentido e denotação", que julgamentos de identidade que têm uma forma sintática idêntica como "a = a" e "a = b" têm de fato um valor semântico diferente. Aplicada à linguagem natural, essa distinção permite fazer uma diferença entre frases do tipo "Vênus é idêntica a Vênus" e "Vênus é idêntica à estrela vespertina". Essa distinção é operatória para, por sua vez, fornecer um critério de diferenciação dos contextos diretos e dos contextos indiretos (ou reduplicativos, segundo os termos dos medievais): nos segundos, os a e b das frases do tipo "a = b" referem não à sua denotação, mas ao seu sentido. Um contexto indireto (ou *oratio obliqua*) é uma estrutura em que a frase é encaixada em uma completiva regida por um verbo de citação ou de atitude proposicional. Por exemplo, em "Pedro crê que Napoleão morreu na França", a frase "Napoleão morreu na França" está encaixada na completiva "Pedro crê que", na qual "crê" é um verbo de atitude proposicional (mostrando a atitude de Pedro em face do conteúdo da frase encaixada). Se quiséssemos afirmar que nos contextos indiretos os termos singulares referem também à sua denotação, produziríamos inferências incorretas do tipo seguinte: "Pedro crê que Chirac é calvo; Chirac é idêntico ao prefeito de Paris; logo Pedro crê que o prefeito de Paris é calvo." Essa inferência é incorreta, e entretanto ela repousa no princípio de substituição dos idênticos.

Essa distinção entre sentido e denotação permite a Frege mostrar que uma frase encaixada refere não ao seu valor de verdade, mas ao pensamento que ela exprime. Além disso, essa distinção permite construir uma semântica em que a cada entidade fundamental é associado um duplo valor, segundo os tipos de contextos. A denotação de um nome próprio é o indivíduo designado por esse nome próprio, mas se o sentido é um modo de apresentação do que é denotado, qual é a natureza do modo de apresentação do nome próprio?

Enfim, pode-se discernir no pensamento de Frege uma evolução, no que diz respeito à linguagem natural. Evidentemente, Frege denunciou de modo constante a imperfeição da linguagem natural. Mas, na época da *Begriffschrift*, ele parece crer na possibilidade de uma expressão lógica correta do pensamento, por meio de um formalismo adequado, enquanto nos escritos posteriores, nas *Recherches logiques* e no seu *Nachlass*, toma a medida do grau de entrelaçamento entre linguagem e pensamento e parece até duvidar, por vezes, da possibilidade de fazer com que o pensamento escape completamente à armadilha da linguagem, como mostra este texto de 1924: "Mas o pensamento não é da ordem da linguagem? Como o pensamento pode entrar em luta com a linguagem? Essa não seria uma luta em que o pensamento estaria em guerra contra si próprio? E não seria então o fim da possibilidade do pensamento?"[15]

## 2. Russell (1872-1970)

A estratégia de Russell difere da de Frege na *Begriffschrift*: ele não constrói diretamente uma língua do pensamento puro, mas limita o uso da lógica dos predicados a um papel de paráfrase dos enunciados, que visa tornar explícita a sua forma lógica. Para Russell, como para Frege (e como para a primeira fase de Wittgenstein), a linguagem é enganadora, mas Russell, por sua técnica de paráfrase, levada à perfeição na teoria das descrições,[16] e que antecipa a notação canônica quiniana, só visa, pela análise, dissolver os falsos problemas metafísicos, resíduos de erros lingüísticos. Esses erros consistem em tomar como forma lógica dos enunciados a sua forma gramatical. Esta última é um guia para a análise da forma lógica, mas não se confunde praticamente nunca com ela.

Não se pode separar, na filosofia de Russell, o que é teoria do conhecimento, filosofia da linguagem e ontologia. De fato, a sua posição filosófica, que é a do atomismo lógico, tem um ponto de partida lógico, que é aplicado depois ao conhecimento, à linguagem e ao mundo:

> A lógica que quero defender é atomista, por oposição à lógica monista daqueles que seguem mais ou menos Hegel. Quando digo que minha lógica é atomista, quero dizer que compartilho a crença do senso comum de que há várias coisas separadas; não considero a aparente multiplicida-

de do mundo como simples fases e divisões irreais de uma Realidade una e indivisível. Segue-se que o que conviria fazer, antes de tudo, para justificar a espécie de filosofia que quero defender, seria justificar o próprio processo da análise. A razão pela qual chamo a minha teoria de atomismo *lógico* é que os átomos aos quais quero chegar enquanto resíduos últimos da análise são átomos lógicos e não átomos físicos. Alguns são o que chamo 'particulares' (...), outros, predicados, relações etc.[17]

Russell, nesse texto, afirma pois que o seu atomismo lógico tem um fundamento lógico, de acordo com o que se poderia chamar de pluralismo ontológico (oposto ao monismo) e que essa posição ontológica o conduz a postular a existência de primitivos ontológicos. Além disso, afirma que há perfeito acordo entre o método da análise e o atomismo lógico, e que, portanto, este pode ser apresentado como a realização da análise.

Nesse atomismo lógico,[18] vários elementos se referem à significação: a teoria realista da significação e o princípio do conhecimento direto (*knowledge by acquaintance*), distinto do conhecimento por descrição. Teoria realista da significação significa que a significação é algo de real. Princípio de conhecimento direto significa que compreender uma significação é ter um conhecimento direto dessa significação. Esses dois princípios se implicam mutuamente: realismo da significação e conhecimento direto se pressupõem.

A teoria realista da significação se opõe não ao nominalismo dos particulares, mas ao idealismo; ela consiste em afirmar que utilizar a linguagem é dizer alguma coisa ao sujeito do mundo, e isso de maneira direta. Nesse ponto, Russell se opõe a Frege. Para este, de fato, a mediação do sentido é sempre necessária, enquanto, para Russell, a proposição se refere diretamente ao estado de coisas. Os termos singulares (nomes próprios e descrições) se referem diretamente aos indivíduos. Entretanto, não se deve crer que essa referência direta não tenha problemas. A linguagem natural deve ser corrigida e parafraseada por meio de uma língua semanticamente perfeita, a lógica matemática, para que seja evitada a armadilha do uso. A teoria das descrições é um famoso exemplo dessa estratégia. Ela consiste em resolver o problema clássico da predicação sobre entidades não-existentes (levantado no *Sofista*), com ajuda de uma distinção entre pressuposição de unicidade e pressuposição de existência. Essa distinção, dissimulada nas profundezas da linguagem natural, só aparece em plena luz na paráfrase formal, por exemplo, a da frase célebre: "o rei da França é calvo". Essa paráfrase formal evidencia duas pressuposições: que o rei da França é único e que ele existe. Se essa pressuposição não é cumprida, o enunciado é falso, o que é de acordo com o realismo semântico, ligado à bivalência.[19] Strawson[20] mostrou que Russell confundiu a significação e a referência de um enunciado, identificando o caráter significativo de um enunciado com o fato de que ele refere a alguma coisa. Para Strawson, é simplesmente o uso desse enunciado que levanta um problema, é no uso que uma expressão refere — por si mesma ela não refere. De qualquer forma, Russell abriu caminho para uma distinção sistemática dos termos singulares que Kripke[21] retomou depois em um contexto modal: os nomes próprios, para ele, designam o mesmo indivíduo em todos os mundos possíveis, enquanto uma descrição definida refere a indivíduos diferentes nos diferentes mundos possíveis.

Enfim, pode-se ver, na escolha russelliana de uma referência direta a estados de coisas, um ressurgimento das controvérsias de que nos tornamos eco no significado proposicional. É o valor da verdade, como Frege pretendeu durante certo tempo? É o estado de coisas? É um estado mental, um pensamento? A solução da referência direta a estados de coisas atômicas foi abandonada por Russell por causa das dificuldades ligadas à ontologia dos estados de coisas. De fato, estes não se confundem com a simples configuração fenomenal da realidade; eles supõem uma organização complexa dos dados sensoriais que não poderiam, por indução, chegar de modo puramente empírico a tais estruturações. Os estados de coisas são intermediários entre os dados sensoriais e a estrutura física do mundo? São uma espécie de terceiros? Qual é então o status dessas estranhas entidades? Encontramos aqui a dificuldade que os estóicos, e depois certos medievais (entre os quais Gregório de Rimini) resolveram com a distinção da existência e da sub-sistência, ou com a da coisa e da quase-coisa. O estado de coisas é uma quase-coisa subsistente? Sabe-se que Russell se separou de **Meinong** (1853-1920) por causa da resposta a dar a essa pergunta. Se Meinong[22] admite uma hierarquia ontológica, Russell sempre se recusou a isso, notadamente em nome do senso comum.[23]

## 3. Carnap (1891-1971)

A contribuição de Carnap para a filosofia da linguagem é múltipla; esclareceu os fundamentos da semântica; deu as regras do que é em geral uma sintaxe lógica ou formal;[24] formalizou as noções fregeanas de sentido e de denotação.[25] Carnap expôs os fundamentos da sua semântica; foi um dos primeiros a definir o que é uma pragmática. Comecemos por este último ponto. Para Carnap,[26] a ciência da linguagem se divide em sintaxe, semântica e pragmática.[27] A semântica se ocupa da relação das expressões de uma linguagem e de sua *designata*, ao passo que a sintaxe se ocupa das relações entre expressões e a pragmática se ocupa da relação das expressões com os usuários dessa linguagem. A semântica descritiva é a descrição das propriedades semânticas de uma língua dada, por exemplo o francês ou o inglês, ou línguas em geral (exemplo: a semântica do tempo e do aspecto). A semântica pura se identifica com a construção de sistemas semânticos. Um sistema semântico S é uma definição de conceitos semânticos relativamente à relação "verdadeiro em S". A semântica carnapiana é uma semântica das condições de verdade; a significação de uma frase é idêntica às suas condições de verdade (o que não implica que conhecer a significação de uma frase seja conhecer suas condições de verdade). Para Carnap, tanto as linguagens formais como as linguagens naturais são sistemas semânticos. A construção destes, fazendo-se abstração da semântica descritiva, vale pois, ao mesmo tempo, para as línguas e para a lógica. A formalização da lógica e a construção de sistemas semânticos não são, portanto, atividades inteiramente separadas. Um sistema semântico é um sistema de regras para uma linguagem L, que dá as condições de verdade de cada frase de L:

> Desse modo as frases são interpretadas pelas regras, isto é, tornadas compreensíveis, porque compreender uma frase, saber o que ela assere, é a mesma coisa que saber sob que condições ela é verdadeira. Em outras palavras, as regras determinam a significação ou o sentido das frases. Verdade e erro são chamados valores de verdade das frases. Conhecer as condições de verdade de uma frase é (na maioria dos casos) muito menos do que conhecer o seu valor de verdade, mas é o ponto de partida da determinação do valor de verdade.[28]

Carnap é o primeiro a propor uma semântica vericondicional, que se situa, para ele, explicitamente, na continuidade de Frege, e retoma a distinção entre sentido e denotação. Carnap identifica essas noções com os conceitos lógicos clássicos de intensão e extensão. É o primeiro a distinguir uma semântica extensional, cujas regras são regras de composição de denotações, e uma semântica intensional que se permite o uso do conceito de proposição. Essa semântica intensional utiliza, em Carnap, conceitos como os de conceito individual e de estado do mundo. Ela tem pelo menos dois grandes campos de estudo: as frases que exprimem as atitudes proposicionais e as modalidades. Neste último ponto, Quine se opôs a Carnap, afirmando que as noções modais são tão irremediavelmente obscuras que não se poderia elaborar a sua semântica precisa; a tal ponto que o recurso a uma linguagem artificial só poderia ser um "fogo de palha por excelência".[29] Carnap, formalizando as noções de intensão e extensão, propôs uma interpretação da semântica fregeana que iria servir de vulgata para a semântica das línguas naturais. Entretanto, como mostramos, essa semântica não é rigorosamente fregeana, e existem certamente diferenças conceituais muito importantes entre Frege e Carnap. A semântica de Carnap, combinada com a de Tarski, dará nascimento à filosofia da linguagem de Davidson.

O aporte radicalmente original de Carnap consiste talvez na introdução da distinção entre linguagem e metalinguagem. Essa distinção é a herdeira longínqua e inconsciente da distinção entre suposição material e formal. Mas o que é novo na distinção carnapiana é a possibilidade de reiterá-la e logo potencialmente de instaurar uma hierarquia de níveis de linguagem. Ela permitiu a Tarski resolver certas dificuldades inerentes a uma teoria formalizada da verdade, embora Wittgenstein tivesse afirmado, pelo *Tractatus*, de modo particularmente radical, que "não há metalinguagem".

## 4. Wittgenstein (1889-1951)

Os limites da minha própria linguagem significam os limites do meu próprio mundo. (*Tractatus* 5.6)

Uma abundante literatura tentou com mais ou menos sucesso dissipar ou tornar mais espessa a aura de mistério que cerca a prosa enigmática e severa do *Tractatus*. Não poderíamos resumi-la aqui. Daremos apenas algumas indicações de leitura sobre o lugar da linguagem nessa obra.

Como G.-G. Granger[30] mostrou, a arquitetura do *Tractatus* se desenvolve em três níveis:

1. a ontologia atomista dos estados de coisas, dos fatos
2. a proposição e o pensamento
3. aquilo de que não se pode falar

A verdadeira dificuldade filosófica do *Tractatus* é a procura da natureza dos laços e correspondências entre esses três níveis. A questão da linguagem se apresenta em termos de isomorfismo entre proposições e estados de coisas. Esse isomorfismo é exposto na teoria representacional do quadro ou da imagem (*Bild*). Segundo essa teoria, formamos quadros dos fatos por meio do pensamento e da linguagem. As proposições descrevem os estados de coisas, mas não podem descrever seu modo de descrição, e também não podem descrever a sua própria estrutura, comum com a da realidade representada: elas podem apenas mostrá-la:

> 2.17 Aquilo que o quadro deve ter de comum com a realidade, a fim de poder representá-la à sua maneira — verdadeira ou falsamente — é a forma da representação.
> 2.172 Entretanto, o quadro não poderia representar a sua própria forma de representação: ele apenas a mostra.

Existem dois limites para o dizível: o primeiro consiste em que dizer não é mostrar. O segundo em que existe o inexprimível. O primeiro limite faz com que a essência da proposição mostre a essência do mundo, mas não dê meios de significá-la ou dizê-la. A proposição diz como uma coisa é, mas não pode dizer que uma coisa é: ela o mostra. O segundo limite, ao contrário, faz com que certas proposições não digam nada sobre o mundo: elas mostram alguma coisa dele. Por exemplo, as proposições da ética e da estética (6.421) não se deixam exprimir. Nesse sentido, elas são "transcendentais", como aliás a lógica.

> 4.121 A proposição não pode representar a forma lógica: esta se reflete naquela.
> O que se reflete na linguagem, não pode ser representado por ela.
> O que se exprime a si mesmo na linguagem, não pode ser exprimido por ela.
> A proposição mostra a forma lógica da realidade.
> Ela a apresenta.

Os limites da linguagem são os limites do mundo, e os limites do mundo são os da linguagem. O sujeito só pode descrever estados de coisas, mas não a sua própria possibilidade ou maneira de descrevê-los. Logo, o sujeito não existe no mundo, nem os valores. O mundo aparece como uma totalidade limitada, mas apenas do ponto de vista do elemento místico, definido como o fato de que o mundo *é*. Sobre o mundo, posso dizer como ele é, por meio de uma conjunção de proposições que formam uma linguagem, mas não posso dizer, a rigor, que ele é. Entretanto, a filosofia não se refugiará no indizível: 4.115 "Ela significará o indizível, representando claramente o dizível." Esse ideal de uma representação clara do dizível tem uma dimensão aporética, que Wittgenstein se esforçou para ultrapassar, durante o que se convencionou chamar o segundo período da sua filosofia. Nesse período, os conceitos fundamentais não são mais de representação e de espaço lógico, mas os de regra, jogo e gramática.

A gramática filosófica, contida na obra do mesmo nome, mas presente em toda a segunda filosofia de Wittgenstein (a partir de 1930), é um instrumento de crítica das ilusões filosóficas, tanto quanto a filologia filosófica de Nietzsche. Para Wittgenstein, o papel terapêutico da gramática é muito mais radical que para Nietzsche. Para Wittgenstein, o conceito de gramática é a-histórico: a influência da gramática comparada é nula, e a gramática continua sendo definida tradicionalmente como um conjunto de regras.[31]

Como Wittgenstein pôde chegar a essa concepção aparentemente tão distante das do *Tractatus*? Poderíamos talvez formular a seguinte hipótese: o *Tractatus* cometeu o erro de procurar uma ontologia formal.[32]

Ora, o *Tractatus* não apresenta uma ontologia formal, mas um ensaio de ontologia da lógica de primeira ordem, ontologia cujo projeto devia necessariamente traduzir-se por uma severa limitação. Essa abordagem permite apenas desenhar os contornos de uma ontologia, mas sem lhe dar realmente uma forma.[33] A irrupção da problemática gramatical marcaria o fracasso devido a essa confusão, e a tentativa de procurar na gramática alguma coisa que fosse formal e não lógica.

O conceito de gramática filosófica tem a sua aplicação mais clara na noção de jogo de linguagem, conceito diretamente ligado à teoria da significação do segundo Wittgenstein. Enquanto, no *Tractatus*, a significação da linguagem provém da ligação entre ela e a realidade, segundo uma teoria representacional, Wittgenstein, desde os anos 30, concebe a estreiteza desse ponto de vista, considerando-se a variedade dos modos de significação da linguagem corrente. Pode-se analisar atos — como dar ordens, interrogar, dar o endereço — nos termos da teoria representacional? Wittgenstein propõe substituir a equivalência entre significação e verdade (a significação de uma expressão consiste em que condições ela é verdadeira, isto é, em que condições ela exerce a sua função de referência) por uma nova equivalência: a da significação e do uso, segundo o slogan bem conhecido "a significação é o uso".

Nas *Investigações filosóficas*, § 243-363, Wittgenstein desenvolve uma crítica da noção de linguagem privada. O que é uma linguagem privada, no sentido de Wittgenstein? Uma linguagem cujas palavras "devem se referir ao que só pode ser conhecido da pessoa que fala; às suas sensações íntimas, imediatas" (§ 243). Ele define assim essa linguagem: "Mas não poderíamos imaginar uma linguagem na qual uma pessoa pudesse escrever ou exprimir verbalmente as suas experiências interiores — seus sentimentos, suas mudanças de humor etc. — para o seu uso privado?"

A crítica da linguagem privada consiste, para Wittgenstein, em mostrar que essa noção repousa sobre dois erros capitais e complementares, que se referem respectivamente à experiência e à linguagem.[34] O erro quanto à experiência é acreditar que ela é privada, ou mais exatamente que há uma experiência privada. O erro quanto à natureza da linguagem é acreditar que se adquire a linguagem pelo jogo da demonstração ostensiva. Wittgenstein põe em dúvida a possibilidade de uma definição ostensiva de uma "experiência interior" tal como a dor, por exemplo. Não é por uma demonstração ostensiva da dor por meio da palavra "dor" ou até da expressão "estou sofrendo" que o uso dessas expressões é adquirido. Não se deve imaginar duas etapas, uma privada, em que nomeio, na solidão da minha vida interior, tal ou tal acontecimento psíquico, que assinalo com uma demonstração interna associando-lhe um nome, que em uma segunda etapa, eu expressaria publicamente. Wittgenstein afirma, a propósito dessa linguagem privada: "uma outra pessoa não poderia compreender essa linguagem".[35]

No § 257, Wittgenstein se interroga sobre o sentido de "nomear uma dor":

> Mas o que significa dizer que ela [uma criança que nomearia as suas sensações] "nomeou a sua dor"? Como ela fez para nomear a sua dor? E, o que quer que ela tenha feito, para quê? Quando se diz: "ela deu tal nome a tal sensação" esquece-se que foi necessária uma longa preparação na linguagem, para que o simples fato de nomear tenha um sentido. E quando falamos de que alguém dá um nome à dor, a gramática da palavra "dor" é aqui prévia às nossas observações; é o que indica o novo "lugar" em que a palavra vai ser posta.[36]

Wittgenstein critica a semântica ideacional dos empiristas, que afirma que a cada sensação corresponde um nome (ou uma idéia), que seria dado por uma demonstração: essa sensação x eu a chamo A. Ele a substitui pela idéia de que a cada nome está associada uma gramática que dá as regras de uso desse nome. Por exemplo, para "dor", o fato de que se possa utilizar um possessivo ("minha dor", "tua dor"...). Esse gênero de regras não é dado pela sintaxe, nem mesmo pela semântica — elas fazem parte do que se chama precisamente as regras de "uso", ligadas à pragmática no sentido de Carnap, que são a parte mais complexa do aprendizado da linguagem, e talvez da filosofia da linguagem.

Por "gramática da palavra dor" entendem-se pois as regras de uso da palavra, que tornam o seu emprego apropriado. O conceito de gramática tem em comum com o de jogo, o de regra. Evidentemente, pode-se contestar a analogia entre regras de jogo e regras gramaticais — as primeiras são realmente normativas? Mas o que Wittgenstein tem em vista é o aspecto simultaneamente construtivo e ilusório da constituição da regra ou das regras. É essa toda a dificuldade da noção de gramática analisada acima.

O que é um jogo de linguagem? O § 23 enumera um grande número de jogos:

> Mas quantos tipos de frase existem? A afirmação, a interrogação, o comando, talvez? — Existem inúmeros tipos; existem inúmeros e diversos tipos de utilização de tudo o que nomeamos como "signos", "palavras" e "frases". E essa diversidade, essa multiplicidade não é nada de estável, nem dado uma vez por todas; mas novos tipos de linguagem, novos jogos de linguagem nascem, poderíamos dizer, enquanto outros caem no esquecimento (...).

A expressão "jogo de linguagem" deve ressaltar aqui que o falar da linguagem faz parte de uma atividade ou de uma forma de vida.

Imaginem a multiplicidade dos jogos de linguagem pelos exemplos seguintes:

Ordenar e agir sob ordens.
Descrever um objeto segundo o seu aspecto ou segundo as suas medidas.
Reconstituir um objeto segundo uma descrição (desenho).
Relatar um acontecimento.
Fazer conjecturas sobre um acontecimento.
Formar uma hipótese e examiná-la.
Representar os resultados de uma experimentação através de tabelas e diagramas.
Inventar uma história; ler.
Representar um papel no teatro.
Cantar cantigas de roda.
Adivinhar enigmas.
Criar um chiste, narrar.
Resolver um problema de aritmética prática.
Traduzir de uma língua para outra.
Solicitar, agradecer, maldizer, saudar, orar.

É interessante comparar a multiplicidade dos instrumentos da linguagem e do seu modo de utilização, a multiplicidade das espécies de palavras e de proposições com aquilo que os lógicos disseram a respeito da estrutura da linguagem (inclusive o autor do *Tractatus*).[37]

Wittgenstein distingue nesse texto a estrutura lógica da linguagem e a multiplicidade dos tipos de linguagens e dos tipos de frases. Por "tipos de frases" ele entende (de maneira menos pedante) o que nós entendemos por "modalidades enunciativas" (o assertivo, o comissivo, o imperativo etc.). Por "tipos de linguagens", a extensão do conceito de linguagem ao campo da aritmética, do desenho etc. É notável constatar que a representação diagramática que, no *Tractatus*, era dada como modelo de relação entre linguagem e realidade seja aqui introduzida como um simples exemplo de jogo de linguagem.

A lista de jogos de linguagem dada por Wittgenstein provoca uma certa perplexidade, pois parece que toda atividade semiótica guiada por regras (mas toda atividade semiótica não é guiada por regras?) possa merecer o título de jogo de linguagem. Não figuram nessa lista formas semióticas simples (contar uma história, propor um enigma etc.), formas de cálculo, atividades de modelização elementar (diagrama, desenho...), atos de linguagem (agradecer, maldizer...)? O conceito de jogo de linguagem, quando é abordado em extensão, parece pois perigosamente amplo. Pode-se defini-lo de modo mais preciso? Deve-se, primeiramente, apreender o seu status teórico:

Nossos claros e simples jogos de linguagem não são estudos preparatórios para uma regulamentação futura da linguagem — por assim dizer, primeiras aproximações, que ignoram a fricção e a resistência do ar. Os jogos de linguagem se apresentam, antes, como *objetos de comparação*, destinados a esclarecer as condições da nossa linguagem por similitudes e dissimilitudes. (*Investigações filosóficas*, § 130, op.cit., p.168-169)

Os jogos de linguagem são modelos, no sentido de modelos físicos, isto é, de representação ideal e simplificada dos fenômenos, omitindo voluntariamente a consideração de certos parâmetros. Seu uso não se situa no interior de uma vontade reformadora da linguagem, mas em uma simples ótica descritiva: "A filosofia não deve, de modo algum, afetar o uso real da linguagem; ela não pode fazer outra coisa senão descrevê-la, pois ela também não poderia fundá-la. Ela deixa todas as coisas no estado em que estão." (Ibid., § 124, p.167) Nesse § 124, a oposição está entre "fundar" e "descrever", ao passo que, no § 130, ela se referia a "regulamentar" (ou "regularizar") e "esclarecer as condições". Parece, então, que Wittgenstein liga vontade reformadora e fundacionalismo. Seu procedimento é simultaneamente descritivo e antifundacionalista. Nesse tipo de procedimento, não se pode, legitimamente, responder a perguntas com a estrutura: "o que é um jogo de linguagem?", "qual é a essência da linguagem (manifestada por esse conceito)?":

E aqui nós nos chocamos com a grande questão que se encontra por trás de todas essas considerações — pois poder-se-ia assim objetar: Assim é fácil! Você fala de todo tipo de jogos de linguagem possíveis, mas em nenhum momento disse o que constitui o essencial do jogo de linguagem, e portanto da própria linguagem. Entendo o que é comum a todos esses processos, e de fato uma linguagem ou partes da linguagem. Por conseguinte, você dispensa justamente essa parte da investigação que outrora [no *Tractatus* 6] causou a você mesmo os piores contratempos, a saber, a parte referente à *forma geral da proposição* e da linguagem.

E eis o que é verdade: — em vez de indicar alguma coisa que seja comum a tudo o que chamamos linguagem, digo que nenhuma coisa é comum a esses fenômenos, que nos permita usar a mesma palavra — mas que são aparentados uns com os outros de diferentes maneiras. E é por causa desse parentesco ou dessas afinidades que nós os chamamos a todos "linguagens". (Ibid., § 65, p.147)

Devemos pois renunciar a que haja um elemento comum a todos os jogos de linguagem e que nos revele a sua essência (e, com isso, a essência da linguagem). Devemos nos contentar com semelhanças entre os jogos de linguagem. Wittgenstein introduz o conceito de "semelhança de família" para substituir o procedimento tradicional, que vê na definição real a exposição da essência da coisa, por um outro procedimento, que se limita a apreender as similaridades e dissimilaridades.

Na ótica tradicional (por exemplo, platônica ou aristotélica), conclui-se a essência de X a partir do que é comum às coisas que caem sob o conceito de X: por exemplo, conclui-se a essência da virtude a partir de atos que caem sob esse conceito. (Há uma certa circularidade nesse procedimento, mas nós a deixamos de lado.) No conceito de semelhanças de família, renuncia-se a que haja algo de comum às coisas que caem sob X. Pode muito bem ocorrer que não haja nada de comum. Vamos tomar como exemplo quatro jogos de linguagem, J1, J2, J3 e J4, com as propriedades A, B, C, D. Pode muito bem ocorrer que os jogos J1-J4 possuam as propriedades A-D da maneira resumida por este quadro:

J1 : A C D
J2 : BC
J3 : A D
J4 : AB

Os jogos J1-J4 não possuem nenhuma das propriedades A-D em comum; mas possuem propriedades em comum dois a dois — mais exatamente, sempre será possível encontrar dois jogos que tenham propriedades em comum com um terceiro eventualmente, sem que nenhuma seja comum a todos. J2 e J3 não possuem nenhuma propriedade em comum, mas como J2 e J3 possuem propriedades em comum com J4, isso basta para que haja uma semelhança. Assim, substitui-se a essência por um ar de família.

O que se chama impropriamente a segunda filosofia de Wittgenstein — muitas vezes reduzida a alguns trechos das *Pesquisas filosóficas*, ao passo que os trabalhos de edição mostraram sua difícil gestação ao longo de uma dezena de anos — representa uma mudança de terreno para a reflexão filosófica. No novo terreno que Wittgenstein explora, a geografia dos conceitos se modifica e não é certo que o conceito de linguagem se apague, em benefício de conceitos mais gerais, como os de jogo e de gramática. Nesse sentido, não se poderia reduzir esse pensamento a uma filosofia da linguagem, nem a uma metafilosofia qualquer. Paradoxalmente, esse pensamento, que parece tratar da linguagem, não concebe a elucidação ou a análise da natureza da linguagem natural como uma tarefa filosófica prioritária. A maneira pela qual a filosofia da linguagem comum se apoiou em Wittgenstein está baseada em um mal-entendido, quando ela pretende lançar uma luz nova sobre a linguagem natural. Uma interpretação mais interessante do que aquela que procuraria os traços gerais de um programa de pesquisa sobre a linguagem seria aquela que exporia uma metafísica trágica do fechamento na linguagem, fazendo eco à observação de Frege em 1924. Entretanto, essa interpretação existencial do segundo Wittgenstein só raramente consegue cumprir os objetivos da reflexão sobre a linguagem.

## 5. E depois de Wittgenstein?

Dois caminhos se abrem a partir da obra de Wittgenstein: uma filosofia da linguagem reformadora, fundada na paráfrase lógica, que se baseia em uma interpretação positivista do *Tractatus* oriunda do Círculo de Viena, e uma filosofia da linguagem descritiva, ou "filosofia da linguagem comum". A primeira encontrou sua melhor expressão em Quine e Davidson. **Quine** (1908- ), em sua obra principal *Le mot et la chose*, sistematizou a estratégia russelliana da paráfrase, com ajuda da "notação canônica", e conseqüentemente todo o aparato da quantificação limitada à primeira ordem. A originalidade de Quine consiste em realizar essa paráfrase de modo imanente, sem supor categorias interlingüísticas, ao contrário de Aristóteles. Esse é o alcance da sua tese da indeterminação da tradução (segundo a qual, para uma língua estrangeira dada, podem existir dois manuais de tradução rivais e contraditórios em nossa língua, sem possibilidade de desempate), que modificou, em profundidade, a filosofia da linguagem. Quine, com sua tese, questionou a própria noção de significação, e logo, fatalmente, a de significado proposicional, pelo menos no espírito em que o definimos. Seu sucessor **Davidson** (1917- ) é muito menos radical e crítico quanto à significação, pois tenta lhe conservar, no mesmo contexto de economia ontológica e de extensionalidade, um conteúdo conceitual graças ao seu recurso a uma teoria da verdade inspirada em Tarski. Essa teoria foi interpretada de modo diferente por toda uma série de filósofos, que tomaram como ponto de partida a semântica da lógica modal (Montague,[38] Kripke...).

A segunda via, a da linguagem ordinária, encontrou seu melhor representante em **Austin** (1912-1960).[39] Ele retomou o problema wittgensteiniano da classificação dos jogos de linguagem em um espírito descritivo, tentando dar regras até demasiado complexas dos atos que efetuamos pela linguagem. Austin foi o primeiro a distinguir, em nossos enunciados, duas dimensões: a constativa (pela qual o enunciado descreve uma realidade) e a performativa (pela qual ele é um ato não-lingüístico). Essa distinção, presente em vários graus em todo enunciado, foi aplicada a diversos enunciados problemáticos, por exemplo, o "eu minto" e o *Cogito sum*.

Austin, interessando-se por um campo de fatos excluídos ou negligenciados pela lingüística, realizou algo provavelmente único na história recente da filosofia da linguagem: abrir um novo campo, que pode se chamar, globalmente, pragmática. Esses fatos também eram negligenciados pelos filósofos, que se desviavam em geral desse aspecto excessivamente comum da linguagem. Austin também abriu um campo para a reflexão filosófica, o da relação do sujeito locutor com a sua língua, que não pode simplesmente se definir em termos de domínio de língua. A lingüística da enunciação,[40] a psicanálise lacaniana,[41] desse ponto de vista, podem testemunhar a sua ascendência austiniana.

# NOTAS

## Semântica Moderna e Nova

### DO RENASCIMENTO AO SÉCULO XIX

1. Trata-se, evidentemente, de uma simplificação extrema: Caetano morreu em 1534 (seu *Da analogia dos nomes* é de 1499), e se existem escolásticos ainda mais tardios como João de São Tomás (1589-1644), ou Suarez (1548-1617), a escolástica como método deixa de ser produtiva em nossa área. Em particular, a doutrina de Caetano é apenas um remanejamento da doutrina tradicional, e a semiótica de João de São Tomás é uma simples sistematização de doutrinas anteriores.

2. Também aqui seria preciso matizar: a radicalidade do gesto cartesiano é discutível, e Leibniz reconhece ainda uma certa autoridade da teologia em áreas importantes da filosofia.

3. Naturalmente, com exceções, mas poucas: Zabarella (1532-1589), Jungius (1587-1656), Geulinx (1624-1669), Lambert (1728-1777). De qualquer forma, ninguém, exceto Leibniz, que suporte a comparação com a lógica medieval chegada à sua maturidade, como em Buridan, por exemplo. Cf. para esse período, Kneale & Kneale, 1964, op.cit. 1964, p.298-379.

4. Cf. "La connaissance des langues du monde", de K. Percival in HIL, t.2.

5. Cf. a publicação da primeira lógica em francês por Ramus, *Dialectique* (1555).

6. Deve-se matizar: foi para o provençal que, desde o século XIII, despertou-se um grande interesse gramatical e léxico, dando nascimento ao primeiro movimento estruturado de conhecimento de uma língua literária vulgar (se excetuarmos o irlandês e o caso complicado do islandês, estranhos culturalmente a Dante). Para Dante, a poesia provençal é um exemplo freqüentemente citado.

7. Comentário em H.O. Apel, *Die Idee Sprache in der Tradition des Humanismus von Dante bis Vico*, 2ª ed., Bouvier, Bonn, 1975, p.104-129. Citamos a tradução de Pézard, in *Oeuvres complètes*, Gallimard, La Pléiade, 1965, p.549-630.

8. Op.cit. p.552.

9. Op.cit. p.553.

10. Ibid.

11. Op.cit. p.555.

12. Um testemunho muito claro: Jean Luis Vives (1492-1540), *Adversus pseudo-dialecticos (Contre les pseudo dialecticiens)*, ed. e trad. Guerlac, Reidel, 1976. Encontram-se ataques contra a lógica terminista em praticamente todos os grandes autores: Rabelais, Montaigne, Erasmo.

13. Regras dialéticas ou regras relativas aos lugares do discurso.

14. R. Lulle projetara uma arte mecânica das inferências, longínqua precursora das línguas universais e das máquinas de pensar.

15. Segunda Parte. Ed. Gilson, Vrin, 1961, p.62-63.

16. *Die Philosophische Schriften*, vol.VII, p.516 *(Lettre à Gabriel Wagner)*.

17. *La logique de Leibniz*, 1905, p.176.

18. Trad. M. Le Doeuff, Gallimard, 1991.

19. Op.cit. p.161.

20. Op.cit. p.167.

21. Essa doutrina está contida no *Novum organum*.

22. *Philosophie des formes symboliques*, v.1: *Langage*, 1, 2.

23. R. Bacon redigiu efetivamente uma semiótica sob o título de *De Signis*, publicada em *Traditio*, 34, p.75-136.

24. Op.cit. p.180.

25. Ibid.

26. Op.cit. p.182.

27. Ibid.

28. N. Chomsky apresentou em 1966 a sua própria releitura da história da lingüística, sob o título enganoso de *Linguistique cartésienne* (Seuil, Paris). Tudo já foi dito sobre o fraco valor histórico desse texto; não voltaremos ao assunto. Convém lê-lo como um fragmento da autobiografia intelectual de Chomsky, em sua procura de um modelo de racionalidade, e não como a reconstrução racional de uma ciência da linguagem implícita em Descartes e nos cartesianos (como Géraud de Courdemoy, *Le discours physique de la parole*, Seuil, 1968).

29. Oeuvres et lettres de Descartes, ed. Bridoux, Gallimard, La Pléiade, p.701-702.

30. *Leviathan*, I, 4, ed. Tricaud, Sirey, 1971, p.29.

31. *De corpore*, I, 20.

32. *Les éléments du Droit Naturel et Politique*, V, 6, trad. Roux, L'Hermès, 1977, p.149.

33. *Leviathan*, op.cit. p.28.

34. *Les éléments du Droit Naturel et Politique*, op.cit.

35. O grifo é nosso.

36. *Leviathan*, op.cit.

37. Quanto a esses abusos, cf.op.cit. p.29.

38. Ibid.

39. *De corpore*, 1.15.

40. Op.cit. 2.274.

41. Op.cit. 4.23.

42. *Leviathan*, p.37.

43. *Discurso do método*, V$^{\text{a}}$ parte.

44. Ibid.

45. Limitamo-nos aqui à sua insistência em certas teses de Descartes, que nos parece provir de uma intuição correta. Seria um outro problema querer encontrar uma lingüística cartesiana em Herder, Humboldt ou outros.

46. Chomsky 1969, p.20.

47. Ibid.

48. Carta a Henry More 1649, citada em Chomsky, p.24. Para a posição de Leibniz sobre esse ponto, cf. *Nouveaux essais*, II, 11, 7.

49. *Méditation Seconde*, ed. Bridoux, p.171-175.

50. Ibid. p.173.

51. Terceiras objeções às *Méditations*, Objeção Quarta, ed. Bridoux, p.296.

52. Idem p.296-297.

53. Ibid. p.174.

54. 1966, prefácio à *Grammaire générale et raisonnée*.

55. Ibid.

56. HIL, t.2, p.333. Dominicy prossegue: "uma tese anexa, mas crucial para nosso propósito, acrescenta que toda combinação significante de palavras 'exprime' uma idéia, mesmo que a 'coisa' representada não seja mais do que um ato interior do espírito".

57. *Essai...*, trad. Coste, reed. Vrin, 1972, p.602.

58. Ibid.

59. Ibid.

60. Op.cit. p.321, II, 33-19; lê-se: Livro II, capítulo 33, 19.

61. Op.cit. p.322.

62. Op.cit. p.325.

63. N. Kretzmann, "The Main Thesis of Locke's Theory". *Philosophical Review*, 1968, 77, p.175-196.

64. Op.cit. p.325.

65. Op.cit. p.329.

66. Op.cit. p.330.

67. Op.cit. p.331.

68. Locke (III-15) distingue essência real (relativa à constituição das coisas) e essência nominal (relativa às idéias abstratas expressas pelos nomes).

69. Op.cit. p.336-337.

70. Suas obras de lingüística empírica ocupam os dois últimos tomos, V e VI, da edição Dutens (1768), e trata-se apenas de uma parte dos materiais.

71. A seguir, retomamos parcialmente Nef, 1979.

72. *Nouveaux essais*, III, 1, 3.

73. Calvino, *Comentário sobre os Cinco Livros de Moisés*, citado em Dubois, 1970, p.36.

74. Em *Turris Babel*.

75. *Philosophische Schriften*, ed. Gerhardt, v.7, p.204-205.

76. Chama-se língua adâmica a língua falada por Adão antes da queda. Lembre-se de que Adão conhecia o nome verdadeiro das espécies naturais.

77. *Nouveaux essais* III, 2, 1.

78. *Opuscules et fragments inédits*, ed. Couturat, 1902, p.225. Para tudo isso, ver Belaval, 1961, p.105 s.

79. *Correspondance avec Sparfvenfeld*, citado em Nef, 1979, p.739.

80. *Opuscules et fragments inédits*, p.435, Op.cit.

81. *La logique de Leibniz*, 1901.

82. V. Salmon sublinha que essa idéia de um latim simplificado servindo de língua universal era discutida desde o início do século XVII, HIL, v.2, p.310s. Bacon teria permitido ultrapassar esse estágio, op.cit. p.313.

83. Sobre esses autores, cf.V. Salmon, op.cit. p.319s.

84. *Brevis designatio* in Oeuvres, ed. Dutens, v.6.

85. *Opuscules*, p.151.

86. *Nouveaux essais (NE)* III, 5, 8.

87. Esta obra estava terminada quando foi publicado o livro de G. Brickmann, *Berkeley et le voile des mots*, Vrin, 1993.

88. *Essai sur l'entendement humain, (EEH)*, livro IV, cap.7, 9 (abr.: 4,7,9).

89. *EEH* II, 23,6.

90. *EEH* III, 3,6.

91. *Principes de la connaissance humaine*, trad. D. Berlioz, p.52.

92. *Philosophical Commentaries*, 1, 62.

93. O interesse pela questão da origem da linguagem se manterá pelo menos até o famoso ensaio de Renan, *Da origem da linguagem* (1848), embora partidário dos métodos da gramática comparada. Seu ensaio, em sua parte crítica, exposta na introdução, permite ver as modificações do tema da origem em Humboldt, Bopp, Schleicher...

94. *Traité des sensations* (1754).

95. In *Varia linguistica*, ed. Ch. Porset, p.34-35.

96. Turgot afirma que "se trata de um raciocínio, e não de uma percepção nova", op.cit. p.54 (Nota XXIV cf. *infra*).

97. Op.cit. p.550.

98. Turgot, op.cit. p.32., nota VII.

99. Maupertuis, op.cit. p.93.

100. Ibid. p.99.

101. Sobre esse tema, o texto talvez mais desenvolvido, senão o mais representativo, entre os que são acessíveis em uma edição moderna e segura, é o de Waburton, *Essai sur les hiéroglyphes des égyptiens*, ed. P. Tort, Aubier, 1977.

102. *Essai sur l'origine des connaissances humaines*, in *Oeuvres*, tomo I, ed. Le Roy, p.5.

103. O., p.4.

104. O., I, II, 18, 74, p.28. Essa sucessão é muito próxima da descrita por Locke.

105. Mosconi 1966, p.60 ("Sur la théorie du devenir de l'entendement" in *Cahiers pour l'analyse*, nº 4).

106. O., p.60.

107. *Grammaire*, O., p.428.

108. Op.cit. 443-444.

109. *La langue des calculs*, ed. 1798, p.6-7.

110. Edição J.-L. Schefer, p.74, 1990.

111. Edição C. Habib, p.84.

112. *S.N.*, 916-7-8.

113. *S.N.*, trad. Doubine, p.365.

114. Op.cit. p.368.

115. Ibid.

116. Op.cit., 447-8.

117. *De l'origine des formes grammaticales*, Ducrot, 1969, p.13.

118. Ibid.

119. Op.cit. p.14.

120. Op.cit. p.13.

121. Op.cit. p.18.

122. Depois de 1913, Husserl se desvia do seu programa de ontologia formal intencional, para um procedimento mais radical: a construção de uma fenomenologia transcendental (essa perspectiva é introduzida em 1913 em *A idéia de uma fenomenologia pura*). O primeiro Husserl é essencialmente o autor das *Pesquisas lógicas*. O desenvolvimento do pensamento de Husserl é, evidentemente, mais complexo (do primeiro ao segundo volume das *Pesquisas*, percebe-se uma evolução).

## A LINGUAGEM E A ANÁLISE: O SÉCULO XX

1. Dummett, 1991, p.13.

2. *Posthumous Writings*, University of Chicago Press, p.198.

3. *Ecrits logiques et philosophiques*, p.177.

4. p.139.

5. Ibid.

6. Op.cit. p.177.

7. Ibid.

8. Cf. Carnap, *Introduction to semantics and formalization of logic*, Harvard [1942, 1943] 1961, 1.

9. Frege, *Begriffschrift*, prefácio.

10. Id.

11. Id.

12. Id.

13. Id.

14. Comentário de sentido e denotação [*Ausführungen über Sinn und Bedeutung*], *Nachgelassene Schriften*, F. Meiner Verlag, 1969.

15. *Posthumous writings*, p.267.

16. Em francês, essa teoria é exposta em L. Linsky, *La référence*, Seuil, 1969, D. Vernant, *Introduction à la philosophie de la logique*, Mardaga, Bruxelas, 1986, p.70-85.

17. Russell, *Ecrits de logique philosophique*, PUF, trad. Roy 1989, p.337-8.

18. Por um lado, privilegiamos a filosofia do atomismo lógico no desenvolvimento de Russell — haveria muita coisa a retomar, a matizar, e até a recusar, a partir de *Signification et vérité* — e por outro, acompanhamos, no que se segue, a exposição da semântica russelliana, feita por M. Sainsbury em *Russell* (1979), p.13s.

19. Sobre a ligação entre realismo e bivalência, ver P. Engel, *La norme du vrai*, Gallimard, 1989 e F. Nef, "realismo e anti-realismo em lógica", *Archives de philosophie*, 1992.

20. *Ecrits logiques et philosophiques*, Seuil, 1969.

21. Kripke, *La logique des noms propres*, Minuit, 1980.

22. Meinong: apresentação em francês em Hubert Elie, *Le complexe significabile*, Vrin, 1937.

23. Os textos de Russell referentes à crítica de Meinong se encontram no volume *Logical Essays*.

24. Em *The Logical Syntax of Language*, 1937; essa obra é a inspiração da sintaxe formal de Chomsky.

25. Em *Meaning and Necessity*, 1947.

26. C. Morris inventou essa classificação em 1938: "Foundations of the Theory of Signs".

27. Seguimos neste ponto, e posteriormente, Carnap, *Introduction to semantics*, p.11s. É interessante enfatizar que para Carnap "a pragmática é a base de toda a lingüística" (p.13, Op.cit.).

28. Op.cit. p.22.

29. Em francês no texto, "Two dogmas of empiricism", in *From a logical point of view*, 1953.

30. G.-G. Granger, *Invitation à la lecture de Wittgenstein*, Arlea, 1991.

31. Entretanto, é preciso estarmos conscientes de que a gramática geral foi definida, no início, relativamente a um "bom uso", e que, portanto, a perspectiva normativa é essencial, o que está, naturalmente, ausente da gramática filosófica de Wittgenstein.

32. Sobre essa questão, ver o texto notável de P. Simons, "L'ontologie du Tractatus", *Wittgenstein analysé*, Ed. J. Chambon, 1993.

33. A ontologia tem um contorno, porque o *Tractatus* traça os seus limites, mas não tem forma, no sentido de uma ontologia formal relativa a uma ontologia material.

34. Cf. A. Kenny, *Wittgenstein*, 1973, p.180s.

35. Op.cit.

36. Op.cit. p.214s.

37. Op.cit. p.125-6.

38. Tradução francesa, "Le traitement rigoureux de la quantification en anglais", *L'analyse logique du langage naturel 1986-1979*, F. Nef ed., Ed.du CNRS, Paris, 1985. Apresentação em F. Nef, *Logique et langage. Essais de sémantique intensionnelle*, Hermès, Paris, 1986.

39. *Quand dire c'est faire*, Seuil, 1971. Na mesma linha: F. Récanati, *La transparence et l'énonciation*, Seuil, 1979. *Les énoncés performatifs*, Minuit, 1986.

40. Cf. O. Ducrot, *Le dire et le dit*, Minuit.

41. Cf. S. Felman, *Le scandale du corps parlant*, Seuil, 1978.

# Conclusão

Vários temas emergiram ao longo desse percurso da história das teorias filosóficas da linguagem, essencialmente a questão metafísica da gramática, a relação entre lógica e linguagem, entre linguagem e pensamento, entre linguagem e realidade, e finalmente o problema da origem e da natureza da linguagem.

A questão metafísica da gramática está fortemente presente nas questões de categorização: diferenças nome-verbo, partes do discurso, distinção entre categorema e sincategorema etc. Mostrou-se, efetivamente, que as grandes categorias gramaticais e semânticas são solidárias de uma conceitualização metafísica. A distinção de origem platônica do *onoma* e do *rhema*, base das classificações de partes do discurso, está ligada a uma ontologia do substrato e da qualidade ou do acidente. A doutrina medieval dos categoremas e dos sincategoremas, que parece de início puramente semântica, tem de fato um alcance metafísico, explicitado na gramática especulativa e retomada por Husserl. Por fim, pôde-se mostrar a recorrência do problema da paronímia, notadamente em Boécio e Anselmo. Não haveria nada de mais determinado metafisicamente do que essa relação aparentemente de estrita derivação léxica! Não só essa doutrina é metafísica de parte a parte, mas, além disso, ela fornece uma mola essencial a uma ontologia da essência. Abandonando o campo gramatical em sentido amplo, constatamos a mesma interpenetração, no que se refere às teorias da analogia. Esta desempenha um papel central na linguagem, e sua teoria acarreta todo um sistema de noções metafísicas cuja expressão ela permite, dando lugar à metafísica da analogia, essencial para todo discurso sobre o não-sensível. O conteúdo metafísico da linguagem não é apenas um pressuposto a ser eliminado em uma intenção reformadora ou purificadora, como se pretendeu em abordagens positivistas da significação; ele é um elemento fundamental de toda gramática; que se trata, pelo contrário, de interpretar. Os filósofos, até aqui, tentaram transformar a gramática, trata-se, agora, de interpretá-la!

A relação entre lógica e linguagem sofreu uma evolução que resulta progressivamente em uma lógica da linguagem natural, desde a doutrina dos termos, em Platão, à noção quiniana de paráfrase. A relação entre lógica e linguagem não é uma relação de exterioridade, pois a lógica é uma linguagem e não apenas um cálculo. A relação entre lógica e linguagem corresponde, antes, a uma relação entre dois tipos de linguagem, o primeiro desprovido de imprecisão e de ambigüidade, construído para exprimir simbolicamente o raciocínio correto, científico e principalmente matemático; o segundo, imperfeito para exprimir o raciocínio, adaptado à imprecisão da comunicação cotidiana. Muito se criticou o "logicismo" ou a "logicização" de doutrinas lingüísticas pré-saussurianas (a tradição peripatética, a gramática especulativa, Port-Royal...) e muitas vezes desejou-se representar a lingüística como nascendo de uma libertação do garrote lógico. Esse ponto de vista, talvez correto para a historiografia lingüística (mas Montague e Chomsky não mostram a sua fragilidade, com o recurso que fazem à forma lógica dos enunciados?), não pode ser transposto sem alterações para a filosofia da linguagem. A procura da essência da linguagem, da sua significação para a humanidade é inseparável de um aprofundamento do logos como lógica. Se o homem é o animal que sabe falar, é também, segundo Aristóteles, o animal que sabe raciocinar logicamente, construir normas lógicas do seu próprio raciocínio. As atividades que consistem em dizer as coisas, em raciocinar e em refletir sobre o raciocínio correto são todas atividades lógicas, no sentido de atividades do logos humano, são aparentadas, e o divórcio fundador de uma ciência da linguagem diante da lógica deve ser reservado à história dos métodos empíricos de descrição das línguas. A mutação das relações entre lógica e linguagem é mais a da própria lógica do que aquela de uma emancipação das ciências da linguagem, que de lógicas se tornariam naturais. Essa mutação da lógica é a de Frege, e marca, com a teoria das descrições, por exemplo, um novo regime do estudo lógico da linguagem, que não pertence certamente à lingüística, mas lança uma luz forte e decisiva sobre as capacidades da linguagem de referir e de significar. Além disso, é notável que a teoria das descrições se inspire nessa lógica nova, mas retomando o seu problema muito clássico da referência das entidades não-existentes.

A relação entre linguagem e pensamento é problematizada nas noções de linguagem mental e de significado proposicional.

Não só a linguagem mental existe de fato, mas também as proposições de que ela é composta referem a entidades com status ontológico específico. A origem e a descendência agostinianas do conceito de linguagem mental permitem traçar a sua história até Occam, cuja semântica exige a sua existência. A verdadeira questão que se levanta a propósito da linguagem mental é o seu grau de parentesco com a linguagem em geral, e principalmente o fato de saber se ela é proposicional, e em que medida ela admite essa ou aquela forma gramatical. É nesse sentido que ela é a linguagem do pensamento. Às proposições dessa linguagem ideal corresponderia uma entidade específica, com um modo de ser particular? Toda uma história secreta atravessa as doutrinas mais diversas para afirmá-lo, especialmente através do incorporal estóico, o dictum abelardiano e o estado de coisas de Russell. A história filosófica da linguagem é em grande parte a história das transformações e deslocamentos do conceito de significado proposicional, daquilo que é significado por uma proposição.

A relação entre linguagem e realidade se traduz por uma evolução do realismo, do realismo platônico das Idéias até Frege, e pela emergência de uma teoria da referência, da teoria desde a suposição até Russell. O nominalismo, que finalmente é apenas um realismo do singular, não é incompatível com um realismo interno ou imanente. O problema da origem da linguagem, longe de desaparecer, como se acreditou, deslocou-se, da controvérsia entre convencionalismo e nominalismo até a ontogênese da referência. A natureza da linguagem natural é ser convencional e limitada.

Assim, em conclusão, o projeto que tentamos realizar pode aparecer: mostrar ao lingüista que a história da linguagem é uma história filosófica que não convém repetir inconscientemente, mas interpretar; mostrar ao filósofo que a linguagem, longe de ser o meio transparente que ele gostaria de imaginar, ou a prisão mítica cujas limitações ele teme, está em suas mãos para ser transformada.

# ELEMENTOS DE BIBLIOGRAFIA


Auroux, S., (org.) *Histoire des idées linguistiques*, 3 v. Bruxelas, Mardaga. No prelo.

Baratin, M. e Desbordes, F., *Textes linguistiques de l'Antiquité*, Klincksieck, 1978.

Bouveresse, J., *La parole malheureuse*, Paris, Minuit, 1971.

______, *La rime et la raison*, Paris, Minuit, 1973.

______, *Le mythe de l'intériorité*, Paris, Minuit, 1976.

______, *Herméneutique et linguistique*, Ed. de l'Eclat, 1991.

Brykman, G., *Berkeley et le voile des mots*, Vrin, 1993.

Cassirer, E., *La philosophie des formes symboliques*, tr. franc. Minuit.

Chomsky, *La linguistique cartésienne*, tr. franc. Seuil, 1968.

Deleuze, G., *Logique du sens*, Minuit, 1968. [Ed. bras.: Jorge Zahar]

Ducrot, O., *Le structuralisme en linguistique*, Points-Seuil.

______, Todorov, T., *Dictionnaire encyclopédique des sciences du langage*, Points-Seuil. [Ed. bras.: Jorge Zahar]

Engel, P., *Identité et référence*, PENS, 1985.

______, *La norme du vrai*, Gallimard, 1989.

Felman, S., *Le scandale du corps parlant*, Seuil, 1978.

Gardies, J.-L., *Philosophie de la grammaire*, Paris, Vrin, 1975 (tr. inglesa aumentada e revista, *Philosophy of Grammar*, Munique, Philosophia Verlag, 1991).

Gilson, E., *Linguistique et philosophie*, Vrin, 1978.

Granger, G.-G., *Langages et epistémologie*, Paris, Klincksieck, 1979.

______, *Pour la connaissance philosophique*, O. Jacob, 1988.

Jespersen, O., *Philosophie de la grammaire*, Minuit, 1972.

Laugier-Rabaté, S., *L'anthropologie logique de Quine*, Paris, Vrin, 1992.

Linsky, L., *La référence*, Seuil, 1965.

Lyons, J., *Sémantique*, Larousse.

Martin, R., *Pour une logique du sens*, PUF, 1992.

Michelstaedter, C., *La persuasion et la rhétorique*, Ed. de l'Eclat, 1989.

Milner, J.-C., *L'amour de la langue*, Seuil.

Mounin, G., *Histoire de la linguistique*, PUF, 1967.
Nef, F., *Logique, langage et réalité*, Ed. Universitaires, 1991.
Pariente, J.-C., *Le langage et l'individuel*, Armand Colin, 1965.
Petitot, J., *Morphogenèse du sens*, PUF, 1989.
Proust, J., *Questions de forme*, Paris, Fayard, 1986.
Récanati, F., *Les énoncés performatifs*, Minuit, 1986.
______, *La transparence et l'énonciation*, Seuil, 1976.
Robbins, Ph., *Brève histoire de la linguistique*, Paris, Seuil.
Robinet, A., *Le langage à l'âge classique*, Paris, Klincksieck, 1980.
Rosier, I., *La grammaire des modistes*, Presses Universitaires de Lille, 1985.
Sabah, G., *Le langage et l'IA*, 2 v., Hermès, 1989, 1990.
Schulte, J., *Lire Wittgenstein, dire et montrer*, Ed. de l'Eclat, 1992.
Searle, R., *Pour réitérer les différences*, tr. francesa Ed. de l'Eclat, 1991.
______, *Déconstruction, le langage dans tous ses états*, Ed. de l'Eclat, 1992.
Sperber, D. e Wilson, D., *La pertinence*, Minuit, 1990.

# Índice Onomástico

# Índice Remissivo

# AGRADECIMENTOS

Agradecemos a paciência e o saber de R. Brague e A. de Libera, que releram, respectivamente, as partes sobre a Antigüidade e a Idade Média. P. Engel fez observações muito úteis sobre uma primeira versão deste trabalho. Tive a ajuda de R. Pouivet, apesar dos seus pesados encargos de pesquisa e ensino. Sandra Laugier contribuiu na redação, principalmente no que se refere ao século XX, e deu a forma definitiva ao manuscrito. I. Rosier me ofereceu o seu grande conhecimento da gramática da Idade Média. Enfim, agradeço especialmente aos meus alunos de licenciatura do ano 1991-1992, e particularmente a F. Drapo-Contim e F. Lusley, por sua rigorosa exigência de clareza. Se este livro for útil, será em grande parte pela colaboração que eu lhes devo.

Finalmente, agradeço ao meu filho Anatole, que trabalhou na elaboração das notas.

# AGRADECIMENTOS